<그리스도인이면 꼭 알아야 할 성경 지식>

마태복음

제1권

왕이신 예수 그리스도(1-7장)

서울솔로몬학교 성경연수원

차 례

이 책에 인용된 성경 구절은 〈한글킹제임스성경〉입니다.

서론

마태복음은 어떤 책인가?

『다윗의 아들이요, 아브라함의 아들인 예수 그리스도의 세대에 관한 책이라』(마 1:1).

"<u>사복음서는 세상의 모든 책을 합한 것보다 중요하다. 이는 우리가 예수 그리스도를 알지 못하는 것보다 다른 모든 것을 알지 못하는 편이 낫기 때문이다</u>"(헨리 할레이). "사복음서"는 예수 그리스도의 지상 생애를 다루고 있다. 4권의 "사복음서"를 기준으로 앞에 있는 39권의 "구약 성경"은 사복음서의 주인공이신 예수 그리스도를 예언하고 있고, 뒤에 있는 23권의 "신약 성경"은 예수 그리스도에 관해 설명하고 있다.

<u>성경에는 예수 그리스도에 관한 증거들이 넘쳐 난다</u>. 구약에서 신약까지 성경은 일관되게 예수 그리스도를 증거한다. 『**성경을 상고하라. 이는 너희가 성경에 영생이 있다고 생각함이니, 그 성경은 나에 관하여 증거하고 있음이라**』(요 5:39). 우리는 성경을 통해 예수 그리스도께서 어떤 분이신지 알아야 한다. 오늘날 많은 그리스도인이 구원을 받았다고 하면서도 예수님에 대해 잘 모르고 있다. 그저 머리로만 알거나 편파적인 시각으로 예수님에 대해 얼마나 많은 오해를 하고 있는지 모른다. 예수님께서 어떤 분인지 모르는 사람이 어떻게 주님을 전적으로 신뢰할 수 있겠는가?

"만약 어떤 사람에 관해서 알고 싶다면 그 사람을 잘 알고 있는 사람을 찾아가서 물어봐야 한다. 이것 외에는 다른 방법이 없다. 마찬가지로 하나님을 잘 알기 위해서는 하나님과 가장 가깝게 살고 있고 하나님을 가장 잘 아는 사람에게 가서 물어봐야 한다. 그런 사람들은 어디에 있는가? 모두 성경에 나와 있다. 그래서 우리는 성

경 한 구절, 한 구절 그 뜻을 잘 음미하면서 차분하게 읽어 나가야 한다"(D.L. 무디). "**성경은 인류 역사상 가장 고상하고 가장 친절하며 가장 신실하고 가장 선한 친구였던 한 사람, 곧 주 예수 그리스도에 관하여 말해 준다**"(헨리 할레이).

마태복음은 어떤 책인가?

1. 마태복음의 주제

- 기록자 : 세리 마태(레위)
- 기록 연대 : A.D. 37년경

1) 마태복음의 주제는 "**유대인의 왕**"이신(유대인의 왕으로 오신) 주 예수 그리스도와 천국(Kingdom of Heaven)이다.

1장	왕의 계보 (다윗의 아들)	10장	천국복음 위임 (열두 제자)
2장	왕의 탄생 (예언의 성취)	11,12장	왕국 거부 (왕을 거부함)
3장	왕의 침례 (침례인 요한)	13장	천국의 신비 (교회 시대)
4장	왕의 시험 (천국복음 전파)	14-20장	환란 시대 및 지상 재림
5-7장	왕국 헌법 (법령, 산상설교)	21-26장	왕의 입성 (천년왕국 예표)
8,9장	왕의 표적 (왕의 신임장)	27,28장	왕의 죽음 및 왕의 부활

2) **마태복음은 유대인들에게 "왕이신 예수 그리스도"를 제시하는 책이다**. 특히 "**유대인의 왕**"의 모습이 두드러지기에 "**다윗의 아들**"(마 1:1)로 오셨다는 사실이 강조된다. 왜냐하면, 유대인의 왕의 정통성은 "**다윗의 언약**"(삼하 7:4-17)에 따른 "**다윗의 보좌**"에 있기 때문이다. 『**네[다윗] 집과 네[다윗] 왕국이 네[다윗] 앞에서 영원히 세워지리라. 네[다윗] 보좌가 영원히 세워지리라**』(삼하 7:16). 이처럼 유대인의 왕으로서의 모습이 강조되기 때문에 마태복음은 철저하게 "교회의 관점"이 아닌 "유대인적인 관점"으로 해석해야 한다. 따라서 마태복음에 나오는 구절들 대부분은 "교리적"으로 이방인이나 교회와는 관계없이 "유대인에게만 적용"된다.

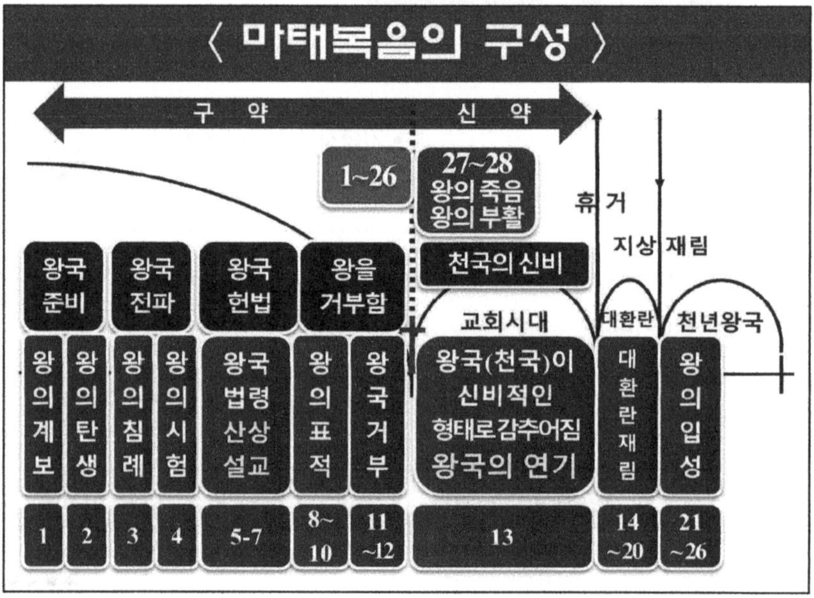

2. 마태복음의 특징

1) 마태복음은 "구약에서 신약으로 넘어가는 과정"을 다루는 "과도기적인

책"(전환기적인 책)이다.

➡ "구약"(Old Testament)은 "**동물의 피로 맺은 언약**"이고, "신약"(New Testament)은 "**예수 그리스도의 피로 맺은 언약**"이다. 예수 그리스도께서는 십자가에서 "**새 언약의 피**"(blood of the new testament, 마 26:28)를 흘리심으로써 "한 번의 속죄"를 통해 인류를 위한 "**영원한 구속**"(eternal redemption, 히 9:12-15)을 완성하셨다. 그러므로 구약에서는 "**죄의 용서**"(죄 사함, Remission)만 있고 구속은 없지만, 신약에서는 죄의 용서뿐만 아니라 "**구속**"(죄를 제거함, Redemption, 골 1:14)도 있다.

<과도기적인 책이란?>

1. 과도기적인 책의 정의

➡ 두 개의 시대 또는 경륜을 이어주는 책

1) 마태복음 : 구약과 신약을 이어주는 책

2) 사도행전 : 유대인의 경륜과 교회의 경륜을 이어주는 책

3) 히브리서 : 교회 시대와 환란 시대를 이어주는 책

2. 과도기적인 책의 특징

1) 하나의 책 안에 두 개의 시대 또는 경륜이 함께 존재한다.

2) 하나의 책 안에 서로 다른 두 대상에게 각각 적용되는 "서로 다른 교리들"이 섞여 있다.

3. 과도기적인 책을 공부하는 방법

➡ "올바르게 나누어서" 공부해야 한다(딤후 2:15).

비 교 항 목	구약의 교리 (율법 시대의 경륜)	신약의 교리 (교회 시대의 경륜)
중심 대상	유대인	교회
율법 효력	율법이 효력을 발휘함 : 율법(행위)	율법이 효력을 잃음 : 은혜(믿음)
성전 경배	안식일, 성전 경배가 존재함	안식일, 성전 경배가 필요 없음
피의 효력	동물의 피 : "죄 사함"(Remission)	예수 그리스도의 피 : "구속"(Redemption)
구원 방법	믿음과 행위로 구원받음	오직 믿음으로만 구원받음
통치 방법	실제적인 다스림(재림 때)	영적으로 다스림
기타 특징	표적들과 이적들이 수반됨	표적들과 이적들이 수반되지 않음

2) **구약에서 신약으로 넘어가는 "분기점"은 "십자가 사건"(마 27장)이다**. 마태복음에는 예수 그리스도의 "십자가 사건"을 중심으로 유대인을 위한 "**구약의 교리**"와 교회를 위한 "**신약의 교리**"가 섞여 있다.

3) 마태복음은 "**다윗의 아들**"이신 예수 그리스도가 강조되며(마 1:1; 9:27; 12:23; 15:22; 20:30,31 등), 성경 전체에서 유일하게 "**천국**"(Kingdom of Heaven)이라는 용어가 나오는 책으로서, 마태복음에서만 총 33회 언급된다.

4) 마태복음은 구약 성경을 풍부하게 인용했고, 구약의 사건이나 인물에 관한 언급이 많다. 그리고 마태복음은 다른 복음서에서는 찾아볼 수 없는 내용이 제시되는데, 예를 들면 "그리스도의 왕의 계보"(마 1:1-17)라든지, "요셉"에 대한 정보(1:18-25), "이스라엘 집의 잃어버린 양"에게로 제자들을

보내는 내용(마 10장) 등이 그렇다.

5) 마태복음 안에 기록된 내용은 사건이 일어난 순서대로 기록되어 있지 않고, "마태복음의 주제"에 따른 특별한 배치 순서를 갖는다.

■ 새롭게 깨달았거나 적용할 내용이 있다면 적어 보세요. ■

NOTES

제1과

한 처녀가 잉태하여 한 아들을 낳으리니(1장)

『그녀가 한 아들을 낳으리니 너는 그의 이름을 **예수**라 하라. 이는 그가 자기 백성을 그들의 죄들에서 구원할 것이기 때문이니라."고 하니라』(마 1:21).

예수 그리스도께서는 구약의 예언대로 "베들레헴"에서 탄생하셨다(눅 2:4-7). 『그러나 너 베들레헴 에프라타야, 네가 비록 유다의 수천 가운데서 작을지라도 이스라엘을 통치할 자가 너로부터 내게로 나오리라. 그의 나오심은 예로부터요, 영원부터였느니라』(미 5:2, B.C. 710년). 이때는 침례인 요한이 태어난 지 6개월이 지난 시점으로서(눅 1:26-38), 주의 천사가 목자들에게 탄생 소식을 전했고(눅 2:8-14), 목자들은 마구간으로 와서 탄생하신 아기 예수를 보고 하나님께 영광을 돌렸다(눅 2:15-20).

예수 그리스도께서는 탄생하신 지 8일째 되는 날에 율법에 따라 할례를 받으셨고(눅 2:21-24), 이때 성전에서 이스라엘의 구속과 위로를 기다렸던 시므온과 안나가 메시아이신 예수님을 만나게 된다(눅 2:25-38). 그로부터 약 2년이 지났을 무렵, 동방으로부터 왕의 별을 따라온 현자들이 예루살렘을 방문하여 예수 그리스도께 경배를 드렸고 황금, 유향, 몰약을 예물로 바쳤다(마 2:1-12). 당시 현자들로부터 "왕의 탄생"에 관한 소식을 들은 헤롯은 예수님을 죽이기 위해 두 살 이하의 모든 사내아이를 죽이도록 명령했는데(마 2:16-18), 이로 인해 주의 천사의 경고에 따라 요셉과 마리아는 아기 예수님을 데리고 이집트로 피난을 갔고(마 2:13), 헤롯이 죽자 다시 나사렛으로 돌아왔다(마 2:19-23, 눅 2:39).

예수 그리스도께서는 나사렛에서 어린 시절을 보내셨고(마 2:23, 눅 2:39-52), 자라시면서 영 안에서 강건해지고 지혜로 충만하며,

<u>또한 하나님의 은혜가 그 위에 있었다</u>. 12살 때는 가족들과 함께 유월절을 지키시기 위해 예루살렘으로 올라가셨고, 그때 일어났던 사건들이 누가복음 2:41-51에 기록되어 있다. 그 외에 어린 시절에 대한 구체적인 언급은 기록되어 있지 않고, 다만 누가복음 2:52 한 구절로 요약된다. 『**예수께서는 지혜와 키가 자라고, 하나님과 사람의 총애 속에서 자라 가시더라.**』

"<u>하나님이신 예수 그리스도께서는 만유의 대왕이시다!</u>"(로버트 그랜트 경)

1. 왕의 계보(1-17절)

1) 예수 그리스도의 "**<u>왕권의 정통성</u>**"을 보여 주고 있는 "**<u>메시아의 계보</u>**"(the Messianic Line)이다. "메시아의 계보"는 "경건한 혈통"의 계보는 아니지만(5명의 이방 여인들, 악한 왕들 등), "**<u>왕의 혈통</u>**"과 "**<u>왕의 씨</u>**"에 있어서는 **<u>순수함이 보존된 계보이다</u>**.

2) "**<u>살려 주는 영</u>**"(고전 15:45)의 계보

아담의 세대들에 관한 책(창 5:1)	예수 그리스도의 세대에 관한 책(마 1:1)
아담의 계보	예수 그리스도의 계보
아담은 예수 그리스도의 "**<u>모형</u>**"이다(롬 5:14-21, 고전 15:45-47)	

아담의 세대들에 관한 책(창 5:1)	예수 그리스도의 세대에 관한 책(마 1:1)
"죽는 사람"의 계보	"살리는 분"의 계보

3) 다윗의 보좌에 대한 "합법적인 권리"를 가진 계보

요셉의 계보(마 1:1-17)	마리아의 계보(눅 3:23-38)
다윗에서 "솔로몬"으로 내려오는 계보	다윗에서 "나단"으로 내려오는 계보
다윗의 보좌에 대한 "합법적인 권리"	다윗의 언약에 대한 "언약적인 권리"
❶ "저주받은 씨의 문제"(렘 22:29,30)를 해결하는 두 계보	
❷ "여자의 씨에 대한 예언"(창 3:15)을 성취하는 두 계보	

2. 왕의 탄생(18-25절)

1) **왕의 탄생은 "동정녀 탄생"이었다.**

(1) 동정녀 탄생은 "**처녀**"가 남자와 동침하기 이전에(18절, 눅 1:34) "**성령으로 잉태하는 것**"(20절)을 의미하는데, 이를 통해 "**여자의 씨에 관한 예언**"(창 3:15)이 성취되었다. 예수님께서는 성령에 의해 태어나셨기 때문에 문자적인 "**인간 아버지**"가 없으셨고(cf. 눅 3:23), 인간 아버지가 없으셨기 때문에 "**죄의 본성**"을 물려받지 않으셨다. 결국 동정녀 탄생은 "**경건의 신비**"(딤전 3:16), 곧 "**하나님께서 육신으로 나타나신 신비**"와 일치하며, "**예수 그리스도의 신성**"에 대한 가장 확실한 증거가 된다.

(2) **동정녀 탄생이 아니었다면 예수님께서는 죄인들을 구원하실 수 없었다**. 예수님께서 아담의 씨를 물려받은 "요셉의 씨"로 태어나셨다면, 예수님 역시 죄를 물려받은 죄인으로 태어나실 수밖에 없었을 것이다. 그렇다면 예수님께서 아무리 죄 없는 삶을 사셨다 한들, 여전히 그분 안에는 죄성이 남아 있었을 것이고, 결국 십자가에서 죽으신 이후에 부활하실 수 없었을 것이다. **동정녀 탄생은 "부활"을 입증해 주고, 부활은 "동정녀 탄생"을 입증해 준다**. 예수님께서 부활하시지 못했다면 아무도 구원하실 수 없었을 것이다. 그러나 예수님께서는 "육신으로 나타나신 하나님"(딤전 3:16, 경건의 신비)이셨기에 구원자가 되실 수 있었다. 『**그녀가 한 아들을 낳으리니 너는 그의 이름을 예수라 하라. 이는 그가 자기 백성을 그들의 죄들에서 구원할 것이기 때문이니라**』(마 1:21).

2) **왕의 탄생은 "성경의 예언에 따른 탄생"이었다**.

➠ 『**"보라, 한 처녀가 잉태하여 한 아들을 낳으리니, 그의 이름을 임마누엘이라 하리라." 하셨으니, 이를 해석하면 '우리와 함께하시는 하나님.' 이라**』(마 1:23). 이것은 이사야 7:14의 "동정녀 탄생"에 대한 예언을 인용한 구절로서 그 예언이 온전히 성취되었음을 보여 준다. **예언의 문자적인 성취는 성경이 영감받았다는 사실과 성경의 무오함, 성경의 위대함, 성경의 과학성과 역사성을 증거해 주는 위대한 지표이다**.

〈예수 그리스도에 관한 예언들〉	〈구약의 예언〉	〈신약의 성취〉
• 하나님의 아들이신 예수 그리스도	시 2:7	행 13:33, 히 1:5
• 이스라엘을 통해 오심	민 24:17-19	-

〈예수 그리스도에 관한 예언들〉	〈구약의 예언〉	〈신약의 성취〉
• 아브라함과 이삭과 야곱의 자손	창 12:3; 17:19, 민 24:17	마 1:1
• 다윗의 가문에서 출생	창 49장, 사 11장, 삼하 7:12	마 1:1
• 베들레헴에서 출생	미 5:2	마 2:6, 요 7:42
• 동정녀 탄생	사 7:14	마 1:21-23
• 초림의 시기에 대한 예언	단 9:26	-
• 이집트로 피신하심	호 11:1	마 2:15
• 헤롯 왕에 의해 무죄한 아이들 살상	렘 31:15	마 2:16-18
• 나사렛에 거하심	-	마 2:23
• 선두주자의 선포	사 40:3,4, 말 4:5,6	마 3:3, 막 1:3
• 육신으로 나타나신 하나님	사 9:6	딤전 3:16
• 성전 정화	시 69:9	요 2:17
• 갈릴리의 사역	사 9:1-2	마 4:14-16
• 모세와 같은 선지자 직분	신 18:15,18	행 3:22,23; 7:37
• 제사장 직분	슥 3:8, 시 110:4	히 8:1; 5:6; 7:17,21
• 고난을 받고 속죄를 이루심	사 53장(4절)	마 8:17(치유)
• 나귀를 타고 입성	슥 9:9	마 21장
• 비유를 사용하심	시 78:2	마 13:35

〈예수 그리스도에 관한 예언들〉	〈구약의 예언〉	〈신약의 성취〉
• 말씀을 들으나 깨닫지 못함	사 6:9,10; 53:1	마 13:14,15, 막 4:12, 눅 8:10, 요 12:37-41
• 거부당하심	시 118:22,23, 사 8:14	마 21:42, 막 12:10,11, 행 4:11
• 예수를 미워하는 유대인들	시 35:19; 69:4	요 15:25
• 그리스도의 고난	시 22:1-18, 사 53:3	막 9:12, 눅 18:32
• 제자들의 비겁함	슥 13:7	마 26:31, 막 14:27
• 유다의 배신	시 41:9	요 13:18; 17:12
• 뼈가 부러지지 않음	시 34:20	요 19:36
• 옷을 나누기 위해 제비뽑음	시 22:18	요 19:24
• 십자가 위에서 버림받음	시 22:1	마 27:46
• 부활	시 16:10	행 2:27
• 은 30개에 팔림	슥 11:12	마 26:15
• 거짓 증인에 모함	시 35:11	마 26:60

■ 새롭게 깨달았거나 적용할 내용이 있다면 적어 보세요. ■

제1과
복습문제

1. 마태복음의 주제는 (   )이신 예수 그리스도와 천국이다.

2. 마태복음은 (   )에서 (   )으로 넘어가는 과정을 다루는 과도기적인 책이다.

3. 마태복음에 나오는 구절들 대부분은 "교리적으로" "교회 시대"에 적용된다. (O , X)

4. 왕의 계보는 "경건한 계보"임과 동시에 "왕의 정통성"을 보여 주는 "메시아의 계보"이다. (O , X)

5. 동정녀 탄생은 (   )을 입증해 주고, (   )은 "동정녀 탄생"을 입증해 준다.

6. 『보라, 한 처녀가 잉태하여 한 아들을 낳으리니, 그의 이름을 (   )이라 하리라." 하셨으니, 이를 해석하면 '우리와 함께하시는 하나님.'이라』(마 1:23).

■ 복습 문제의 정답은 홈페이지(www.solomonbtc.org)에서 확인할 수 있습니다.

NOTES

NOTES

제2과

헤롯은 왜 예수님을 죽이려 했는가?(2장)

『그후 헤롯이 현자들에게 속은 줄 알자 심히 분노하여 군사를 보내어, 그가 현자들에게 자세히 물어본 그 때를 기준으로 하여 베들레헴과 그 온 지경에 있는 모든 사내아이를 두 살부터 그 아래로 다 죽이니라』(마 2:16).

예수 그리스도께서 이 땅에 탄생하셨을 당시, 마리아가 깨끗하고 안정된 장소에서 아기를 낳을 수 있는 마땅한 방이 없었다. 『**그리하여 그녀가 자기의 첫아들을 낳아 그를 포대기로 싸서 구유에 누이니, 이는 여관에 그들이 들 방이 없었기 때문이라**』(눅 2:7). 요셉과 마리아는 여관 주인에게 이렇게 물었다. "여기에 빈방 있습니까?" 주인은 매우 퉁명스럽게 "빈방 없어요."라고 대답했다. 당시에 조세등록을 하러 온 사람들(눅 2:1-5)과 예루살렘에 장막절을 지키기 위해 모여든 많은 사람이 예루살렘의 인접 마을이었던 베들레헴에서 숙소를 잡았기에 빈방을 구하기가 쉽지 않았을 것이다. 급한 대로 요셉은 또 이렇게 사정했을 것이다. "아기를 낳아야 합니다. 허름해도 괜찮으니 임시로 거처할 수 있는 방이라도 잠시 내주실 수 없습니까?" 그러나 주인은 몰려든 손님들을 응대하느라 정신이 없어서 요셉의 딱한 사정을 봐 줄 수가 없었다. "이봐요, 방이 없다니까요, 다른 데 가서 알아봐요. 정 급하면 여관 뒤쪽에 있는 마구간이라도 쓰세요! 물론 공짜는 아닙니다!" 그렇게 해서 이 땅에 만왕의 왕이시요, 온 세상의 구주로 오신 예수님께서는 구유에서 태어나실 수밖에 없었는데, 당시에 여관에는 그분께서 들 방이 없었기 때문이다.

만왕의 왕이신 예수 그리스도께서 이렇게 탄생하신 것은 "은혜"로밖에 설명할 길이 없다. 『**너희가 우리 주 예수 그리스도의 은혜를 알거니와 부요하신 분이 너희를 위하여 가난하게 되신 것은 그의**

가난함으로 인하여 너희를 부요하게 되도록 하심이라』(고후 8:9). 이것이 바로 주님의 은혜이다. 예수님께서 이 일을 하시는 데는 은혜가 필요했다. 그리스도께서 하늘을 떠나 마구간에서 태어나시고, 인간들에게 모욕을 당하시고 십자가에서 죽으시는 데도 은혜가 필요했다. 더욱이 주님께서 죄인들을 위해 그 일을 하시는 데는 은혜가 필요했다. 무엇을 위한 것인가? 누구를 위한 것인가? 바로 죄인인 우리를 위해 그렇게 하셨다는 사실을 잊어서는 안 된다. 은혜를 망각한 그리스도인은 배은망덕한 그리스도인임을 기억해야 한다.

현자들의 방문(1,2,9-12절)

1. 방문 시기

➡ 동방의 현자들은 "**헤롯**"(이두메인 안티파터)이 유대의 왕으로서 유대 지역을 다스리고 있었을 때 방문했는데(1절), 예수님께서 태어나신 지 "**2년 정도**"가 흐른 시점이었다.

목자들의 방문(눅 2:8-24)	현자들의 방문(마 2:1-12)
"아기"(babe, 12,16,17,21,22절)이신 예수 그리스도	"어린아이"(young child, 8,9,11절)이신 예수 그리스도

목자들의 방문(눅 2:8-24)	현자들의 방문(마 2:1-12)
"마구간 구유"에 누워 계신(12,16절) 예수 그리스도	마리아와 함께 "집"에 계신(11절) 예수 그리스도
마리아가 정결례를 위해 바친 제물은 가난한 자들이 바치는 "비둘기"였음(24절)	이집트로 피난 갈 때는(마 2:14,15) 충분한 "여행경비"가 마련됨(11절)

2. 출신 지역

➡ 현자들은 "동방으로부터" 왔는데(1절), "동방"은 예루살렘의 동쪽 지역으로 거짓 선지자 "발라암"이 살았던 장소인 "아람"(민 23:7, 시리아), 곧 유프라테스 강가를 가리킨다(민 22:5). ※ "중국"이었을 가능성도 있음

3. 방문 목적

➡ 유대인의 왕께 "경배를 드리기" 위해서였다(2,11절).

예수 그리스도께서 "메시아"이심을 보여 주는 예물들	
황금 (gold)	❶ "왕"이신 예수 그리스도, ❷ "하나님"이신 예수 그리스도
유향 (frankincense)	❸ "대제사장"이신 예수 그리스도, 향은 성도들의 기도를 상징함
몰약 (myrrh)	❹ "선지자"이신 예수 그리스도, 몰약은 슬픔, 탄식, 죽음을 상징함

4. 왕을 찾아온 방법

1) 예수 그리스도께서 탄생하셨을 당시, 동방의 현자들이 예루살렘으로 여행할 무렵에 보았던 "별"은 어떤 "천체"가 아니었다. 이는 예루살렘에서 베들레헴까지 18km도 채 안 되는 짧은 여정에서 높은 하늘에 있는 별을 보고 길을 추적하는 것은 불가능하기 때문이다. 더구나 그 별은 위치상 현자들의 "앞쪽에서" 나아갔고 또 어떤 집 "위에" 멈췄을 만큼(9절), 이 땅 근처에 상당히 가까운 위치까지 내려왔었다. 우주 어디에도 그런 식의 움직임을 보이는 천체는 없다. 그 별은 천사였으니, 곧 "주의 천사"였다(갈 4:14, 히 1:3, 계 22:16).

2) **예수 그리스도의 탄생 때 나타났던 "별"은 구약에서 이미 예언된 별이었다.** 『**내가 그를 볼 것이나 지금이 아니며 내가 그를 바라볼 것이나 가깝지 않도다. 한 별이 야곱에게서 나올 것이며 한 홀이 이스라엘에서 일어나서, 모압의 구석구석을 쳐서 셋의 모든 자손들을 멸망시키리라**』(민 24:17). 이 "별"은 "홀"(왕권)을 가진 "왕의 별," 곧 "메시아의 별"이었다. 그래서 동방의 현자들은 그분의 "별"을 보고 경배를 드리러 왔다면서 유대인의 "왕"을 찾았던 것이다(마 2:2). 이 현자들은 "시리아"(아람, 민 23:7) 출신의 발라암이 예언한 그 "별"을 찾고 있었다. 그들은 별이 나타나는 시기를 예측할 때 마술이나 점성술이 아닌 "거룩한 성경"(단 9:25, 민 4:43; 24:17, 삼상 2:35)에 의존했다. 왜냐하면, 이 별이 나타나는 "시기"는 성경을 부지런히 연구하고 상고할 때만 찾을 수 있었기 때문이다.

3) **이 "별"은 항성이 아닌 "인격체"로서 예수 그리스도를 가리키는 "주의 천사"였다.** 실제로 예수 그리스도께서 탄생하셨을 당시 밤에 들에서 묵으며 양 떼를 지키고 있던 목자들에게 주의 천사가 나타났었다. 『**그런데, 보**

라; 주의 천사가 그들 위에 임하시고 주의 영광이 그들을 두루 비추니, 그들이 몹시 두려워하더라』(눅 2:9). 그뿐만 아니라 그 주위에는 하늘의 군사들로 불리는 천사들, 곧 "별들"도 대거 나타났다(눅 2:13,15). 말하자면 주의 천사가 목자들에게 예수 그리스도의 탄생을 알리고 있었을 무렵, **동방에 있던 현자들은 강렬하게 빛나는 별빛, 곧 "주의 영광의 빛"을 보았던 것이다**. 그 즉시 그들은 왕께 드릴 예물을 준비하고 이동식 천막과 행장을 꾸려서 예루살렘까지 먼 거리를 여행했고, 그 기간은 대략 1,2년 정도 소요되었다(마 2:16).

예수님을 죽이려 하는 헤롯(3-8,13-23절)

1. 왕을 죽일 목적으로 현자들에게 "자세한 정보"를 묻는 헤롯(3-8절)

➠ "왕의 탄생" 소식에 매우 불안해 하던(3절) 헤롯은 그 "왕"을 죽일 목적으로 왕이 태어난 "**장소**"에 대해 선임 제사장들과 서기관들에게 물었고(4-6절), 현자들을 은밀히 불러서 왕의 별이 나타난 "**때**"를 자세히 물었다. **그리고 현자들에게 자신도 그 어린아이에게 경배하겠다고 거짓말을 했는데, 이는 그 어린아이의 "정확한 위치"를 찾아내서 그를 죽이려는 목적이 있었기 때문이다.**

2. 주의 천사의 명령을 받고 예수님과 함께 이집트로 피하는 요셉과 마리아(13-15절)

➡ **『이스라엘이 아이였을 때 내가 그를 사랑하여 내 아들을 이집트에서 불러내었도다.』**(호 11:1)라는 예언이 "초림 당시"에는 이집트로 피했다가 다시 돌아오시는 "하나님의 아들이신 예수 그리스도"께 적용되어 성취되었다.

3. 두 살 이하의 사내아이를 모두 죽이라고 명령을 내리는 헤롯(16-18절)

➡ **『주가 이같이 말하노라. 라마에서 한 음성이 들렸으니 애곡과 몹시 우는 소리라. 라헬이 그녀의 자녀들을 위하여 울면서 그녀의 자녀로 인하여 위로받기를 거부하였으니 이는 그들이 없음이더라.』**(렘 31:15)라는 예언이 성취되었는데, "초림 당시"에는 베들레헴에 있는 모든 여인이 그들의 아이들이 살해당하는 것을 보면서 매우 고통받고 슬퍼하는 것으로 적용되어 성취되었다(참고로, 라헬은 베들레헴에 있는 모든 여인을 상징함 - "제유법").

4. 이집트에서 갈릴리 나사렛으로 돌아오시는 예수 그리스도(19-23절)

➡ 예수 그리스도께서는 이집트에서 돌아오실 때 갈릴리 지방으로 가셔서 그곳을 "고향"으로 삼으셨고(눅 4:24), 결국 "나사렛 사람"으로 불리시게 된다.

세속 역사에서 "팍스 로마나"(Pax Romana)로 불리는 기간(B.C.

27년부터 A.D. 180년까지 약 200년간 지속된 평화의 시기)은 결코 "평화의 기간"이 아니었다. 일례로 이 기간에 "최초의 어린아이 대학살 사건"이 벌어졌기 때문이다. **『그후 헤롯이 현자들에게 속은 줄 알자 심히 분노하여 군사를 보내어, 그가 현자들에게 자세히 물어본 그 때를 기준으로 하여 베들레헴과 그 온 지경에 있는 모든 사내아이를 두 살부터 그 아래로 다 죽이니라』**(마 2:16). 당시 "왕이신 예수 그리스도의 탄생"에 대한 소식이 전해지자 유대를 통치하고 있던 헤롯 왕은 베들레헴에 있는 두 살 이하의 어린아이들을 모두 죽였다. **이것은 예수님을 죽이려 하는 조치였으니, 그 배후에는 구약에서 오기로 약속된 "여자의 씨"를 제거하려는 사탄이 있었다.** 그보다 앞선 상황에서는 B.C. 4년에 카이사 아우구스토 역시 조세등록을 내렸는데, 이것 역시 만삭인 마리아를 유산시켜서 약속된 씨가 태어나지 못하도록 하거나, 구약에서 예언된 대로 베들레헴에서 탄생하지 못하도록 하기 위한 사탄의 공격이었던 것이다.

"예수 그리스도, 나의 주님이시여, 당신만이 구원의 복된 길입니다. 오! 제 마음을 위로하시며 저의 발걸음을 지켜 주옵소서. 영원한 그날이 올 때까지!"(제이버즈 번스)

■ 새롭게 깨달았거나 적용할 내용이 있다면 적어 보세요. ■

제2과
복습문제

1. 예수님께서 탄생하실 당시 "목자들"과 "현자들"이 방문한 시기가 서로 일치한다. (O , X)

2. 동방의 현자들이 유대인의 왕을 찾아오기 위해 그들의 고향에서부터 따라온 "별"은 말 그대로 하늘에 떠 있는 "천체"를 가리킨다. (O , X)

3. 동방의 현자들이 예수님께 경배하면서 바친 예물은 "황금," "유향," "몰약"인데, 이것은 각각 메시아이신 예수 그리스도의 (　　　　), (　　　　), (　　　　)로서의 모습을 상징한다.

4. 헤롯이 예수님을 죽이려고 계획하자 주의 천사가 꿈에 요셉에게 나타나 이를 알리고 이집트로 피하라고 말했다. 이는 죽음의 위협에서 피하려는 목적도 있었지만, 내 아들을 이집트에서 불러내었다는 호세아 11:1의 예언을 성취시키기 위한 목적도 있었다. (O , X)

5. 헤롯이 두 살 이하의 어린아이를 죽이라고 명령을 내린 것은 사탄의 계략과 무관한 일이다. (O , X)

■ 복습 문제의 정답은 홈페이지(www.solomonbtc.org)에서 확인할 수 있습니다.

NOTES

제3과
회개하라, 천국이 가까이 왔느니라!(3,4장)

『너희는 회개하라. 천국이 가까이 왔느니라... 회개하라, 천국이 가까이 왔느니라』(마 3:2; 4:17).

마태복음 1장에 나타난 왕의 계보 가운데 "여코냐"(여호야킨, 코니야) 이후로는 다윗의 보좌에서 다스릴 왕이 끊어지게 된다(렘 22:28-30). 더욱이 이스라엘은 이방 민족에게 짓밟힌 채 오랜 세월 동안 목자 없이 흩어진 양같이 된다(마 9:36, 겔 34:11,12). 그런 상황에서 하나님께서는 이스라엘의 남은 자들로 하여금 구약에 예언된 메시아 왕을 기다리게 하셨다. 그리고 드디어 그들이 기다리던 메시아가 이제 다윗의 가문에서 태어나시되, 동정녀에게서 탄생하시어 유대인들의 눈앞에 분명히 제시되기에 이른다(여기서 아브라함의 언약과 다윗의 언약 두 언약이 성취된다). 구약에서 예언되었던 메시아의 탄생은 이방인들에게도 알려져 있었다(마 2장). 그리고 메시아께서 이 땅에 오시면 이방 왕국들이 무너질 것 또한 예언되었다(단 2:44). 다만 예수 그리스도께서 이 땅에 오셔서 그 사역을 이루시기 전에 침례인 요한이 먼저 등장해야만 했다(말 4:5). 그는 주의 길을 예비하는 "선두주자"로서 은혜의 복음이 아닌, 왕국 복음을 전파하였다. 그리고 이스라엘 백성들에게 "유대인의 왕"을 알리는 일을 수행했다.

마태복음 3장 : 왕의 길을 예비하는 침례인 요한

1. 침례인 요한의 등장과 시대적 배경 : 『그 무렵에』(1절)

1) 알렉산더에 의해 정복당한 이후 또다시 로마의 지배하에 놓이게 된 이스라엘은 구약에 예언된 메시아를 기다리면서 말라기 선지자 이후 하나님께서 침묵하시는 약 400년간의 기나긴 세월을 보내게 된다.

"이스라엘의 위로"(눅 2:25)를 기다리던 그 긴 시간의 끝에, "메시아"께서 드디어 탄생하신다. 그리고 시간이 흘러 왕으로 오신 예수 그리스도께서 이스라엘 앞에서 사역하실 때가 이른다. 하지만 예언에 따라 그분에 앞서 천국 복음을 전파하고, 회개의 "침례"를 주며, 왕의 길을 예비하는 사역이 전개되어야만 했는데, 이 일을 침례인 요한이 수행한다(요 1:31; 10:40-42).

2) 레위 지파에서 성막에서 봉사하는 자들은 30세가 되어서야 그 일에 참여가 가능했다(민 4:43). "티베리오 카이사"가 집권한 지 15년째가 되는 해는(눅 2:1-6; 2:42-52; 3:1-3) 침례인 요한이 30세가 되던 해인데, 이때 요한 역시 광야에서 주의 길을 예비하는 사역을 시작한다.

2. 천국의 서막 : 『회개하라. 천국이 가까이 왔느니라』(2절)

1) "천국"(the kingdom of heaven)이라는 용어는 마태복음에서만 등장한다.

왜냐하면, 마태복음은 "왕국의 관점"에서 기록된 책이기 때문이다. 침례인 요한은 선두주자로서 회개를 요구하며 천국을 전파했고, 이후에 주 예수 그리스도께서도 천국을 전파하신다.

2) 『**아버지의 왕국이 임하시오며, 아버지의 뜻이 하늘에서와 같이 땅에서도 이루어지이다.**』(마 6:10)라는 말씀은 눈에 보이며, 땅에서 실제로 통치될 왕국(kingdom)으로서의 천국을 잘 설명하고 있다. 이 왕국은 세상 모든 나라를 멸하고, 홀로 서게 될 영원한 왕국이다(단 2:44).

3) 침례인 요한과 예수님에 의해 전파된 "**천국 복음**"은 이스라엘에 의해 거부된다. 하지만 그들은 대환란을 거치면서 민족적으로 회개할 것이고, 결국 그들의 왕을 맞이함으로써 왕국의 예언이 "천년왕국"을 통해 이 땅에서 이루어지게 된다.

"회개하라"는 요한의 메시지는, 이스라엘 백성들로 하여금 그들의 "왕을 맞이할 준비"를 하게 하고, 이 땅에 "왕국이 임하게 하는 조건"을 충족시키는 데 있었다(눅 1:17).

3. 침례인 요한은 누구인가? : 『광야에서 외치는 자의 음성이 있어』(3,4절)

1) 천사 가브리엘의 예언대로 그는 다음과 같은 책무를 맡는다(눅 1:16,17).

(1) 많은 이스라엘의 자손을 그들의 하나님이신 주께로 돌아오게 한다.

(2) 엘리야의 영과 능력을 가지고 주 앞에 앞서간다.

(3) 아비들의 마음을 자식들에게로, 불순종한 자들을 의인들의 지혜로 돌아오게 한다.

(4) 주를 위하여 마련해 놓으신 백성을 예비시킨다. 그는 왕의 길을 예비한 선두주자로, 구약에 예언된 "엘리야"(말 4:5,6, 왕하 1:8)이며 "광야에서 외치는 자의 음성"(사 40:3)이다.

2) 요한과 예수님에 의해 천국 복음이 전파되었으나, 종교지도자들에 의해 폭력으로 탈취되고 거부되면서 천국은 신비의 형태로 감추어져 버린다.

➠ 감추어졌던 천국이 대환란 이후 그들 앞에 나타나기에 앞서서, 또다시 그들에게 회개하라고 외칠 자가 등장하는데 바로 "엘리야와 모세"(두 증인, 계 11:3,4)이다. 따라서 이스라엘이 초림 때 그들의 왕을 받아들였다면 왕국의 도래에 앞서서 회개하라고 외쳤던 침례인 요한은 예수님께서 말씀하신 대로 엘리야가 될 수 있었다(마 11:7-14).

<침례인 요한과 선지자 엘리야의 공통점>

❶ 적그리스도의 유형 앞에서 증거 : 요한 ➠ 헤롯, 엘리야 ➠ 아합

❷ 목 베임을 당함 : 요한 ➠ 헤롯(눅 9:9), 엘리야 ➠ 적그리스도(계 11:3-11)

❸ 주의 길(왕의 오심)을 예비함 : 요한 ➠ 초림, 엘리야 ➠ 재림

4. "회개의 침례" : 『자기들의 죄들을 자백하고.. 침례를 받더라』(5,6절)

1) 예수님의 초림 당시에는 신약성경도, 거듭남도, 십자가의 고난과 부활도 없었다.

➠ 침례인 요한이 왕국 복음과 함께 침례를 준 것은, 왕국이 오기 전에 회개가 선행되어야 했기 때문이다. 그래서 그 목적으로 침례를 주었던 것이다. **즉 요한은 "죄들을 사함받은 것으로 인하여 회개의 침례"(막 1:4)를 전파했다. 이 침례는 베드로가 전파한 침례(행 2:38)와 일치한다. 이러한 상황은 메시아 왕국을 받아들이기 전의 준비 상황에 해당한다(cf. 벧전 3:21).**

2) 이에 예루살렘과 온 유대와 요단 강 주의의 모든 지역에 있던 이스라엘 백성들이 자기들의 죄를 자백하고 요단강에서 침례를 받았다.

5. 위선자들을 향한 경고 : "독사들의 세대야, 다가오는 진노에서 피하라"(7-12절)

종교지도자들은 예수님을 대적하는 세력이요, 위선자들이었다. 요한은 그들을 향해 "독사들의 세대"라 불렀고, 다가올 진노에 대해 전혀 무감각한 그들을 책망했으며(7절), 또 "회개에 합당한 열매들"을 맺으라고 경고했다(8절).

1) **아브라함은 우리의 조상이다.**

(1) 아브라함은 그들의 조상이다. 아브라함의 믿음으로 인해 그들은 "영원한 유업"과 "영원한 씨"에 대한 약속을 받았다. 이들은 이에 대한 자부심이 대단했을 뿐만 아니라, 모세의 율법에 대해서도 그러했다.

하지만 그들은 목이 굳은 세대로 "아브라함이 보여 준 믿음의 본"이나 "모세가 받은 율법의 규례들"을 따를 의사가 전혀 없었다.

➠ 그럼에도 불구하고 자신들이 아브라함의 자손이라며 뿌리를 자랑한다. 그래서 요한은 좋은 열매를 맺지 못하고 조상 자랑만 해대는 나무뿌리는 도끼에 찍혀 불에 던져질 것이라고 경고한다.

2) <u>**회개하지 않으면, 불 속에 던져지리라**</u>.

➠ 그런 그들을 향해 침례인 요한은 "회개의 침례"(막 1:4), 곧 "회개하고, 죄들을 사함받은 것으로 인해 침례를 받으라"고 외쳤다. 그러면 왕으로 오실 이가 오실 텐데 그분은 "성령으로" 또 "불"로 침례를 주실 위대하신 분이시라고 증거했다. "타작마당에서의 알곡과 쭉정이"는 교리적으로 재림 때 예수 그리스도께서 심판하시는 모습을 나타낸다(암 9:9 vs. 계 14:18,19).

<성경에 나타난 일곱 침례>

❶ 모세의 침례(고전 10:2)
❷ 요한의 침례(마 3:6)
❸ 십자가의 침례(마 20:22)
❹ 유대인의 침례(행 2:38)
❺ 이방인의 침례(행 10:48, 마 28:19)
❻ 성령 침례(고전 12:13, 엡 4:4,5, 마 3:11)
❼ 불 침례(마 3:11)

6. 침례를 받으시는 예수님 : 『이제 허락하라』(13-15절)

1) 침례인 요한은 주 예수 그리스도의 신을 들 자격조차 없음을 시인한다. 그럼에도 불구하고 예수님께서 요한이 베푸는 침례에 순종하신 이유는 이스라엘에게 자신이 "메시아"라는 사실을 알리시기 위해서였다(요 1:31-33). **특히 15절에서 말씀하신 "모든 의"는 "믿음의 의"가 아닌 "율법의 의"를 근거로 하고 있다.**

요한이 알고 있었던 것은 "천국"과 "율법의 의" 뿐이었다. 더욱이 이때는 『세상 죄를 제거하는 하나님의 어린양』(요 1:29)으로서 "십자가에 달리실 주님"에 대해 공표하기 이전의 상황이다. 따라서 "요한에게서 받으신 침례"와 "십자가에서 받으실 침례"(마 20:22)는 전혀 다르다.

2) **죄인들을 구원하시고자 죄의 몸을 입으신 것처럼, 율법에 속한 이스라엘의 왕이 되시기 위해 주님은 율법 아래로 들어가셔야 했다.** 다시 말해 "율법의 의"가 요구하는 그 요구에 맞추셔야 할 필요가 있으셨다. 그뿐만 아니라 자신에 관해 율법과 선지서들에 기록된 모든 것을 이루셔야 했다. 곧 십자가에서 죽으시고 장사되셨다가 부활하셔야 했는데 그 일을 이루시기 위한 첫 단추를 끼우고 계시는 것이다(눅 24:44,46).

7. 왕으로 오신 "하나님의 아들" : 『이는 내 사랑하는 아들이요』(16,17절)

➡ 침례인 요한은 그분을 알지 못했지만, 성령께서 내려오시어 그 위에 머무는 분이 바로 그 예언된 "메시아"라는 사실을 이스라엘에게 밝혔다(요 1:32,33; 5:33). 이때 하나님께서도 직접 증거하시는데, 이것은 이 땅에서

이루시고자 하는 그분의 왕국을 자신의 아들을 통해 완성하시겠다는 선포와도 같다(11:5,6, 요 5:36-37, 사 35:5,6).

<"하나님의 아들"에 대한 요한의 증거>

❶ "그리스도"이심(요 3:28, vs. 그분 앞에 보냄을 받은 자)

❷ 신랑(요 3:29 vs. 신랑의 친구)

❸ 흥성해야만 하는 분(요 3:30 vs. 쇠잔해야 하는 사람)

❹ 하나님의 아들(요 3:35,36)

마태복음 4장 : 왕국 복음을 전파하시는 예수님

1. 시험받으시는 예수님

1) 『**성령의 인도로 광야에 가시니라**』(1절).

출애굽 때 모세에게서 침례를 받고 시내광야에서 시험에 쓰러진 "이스라엘"과는 달리(고전 10:2-5), 요한에게서 침례를 받으시고 곧장 성령에 의해 광야로 인도되신 "주님"께서는 마귀의 시험들을 말씀으로 물리치신다.

2) 『**사십 일 낮과 밤을 금식하신 후**』(2절).

누가복음 4:2과 비교해 보면 예수님께서는 40일 동안 마귀에게 여러 가지 시험을 받으셨는데 그 기간에 아무것도 드시지 않았다. 그리고 그 날수가 끝난 후 시장하게 되셨을 때 마귀에게 "세 가지 시험"을 더 받으신 것이다.

2. 마귀의 세 가지 시험

1) 『**네가 하나님의 아들이면.... 빵이 되게 하라**』(3,4절).

40일을 금식하신 주님께 마귀가 내놓은 첫 번째 시험은 "빵의 시험"이다. 마귀의 요구대로 주님은 돌들로 빵이 되게 하실 뿐만 아니라, 아브라함의 자손도 되게 하실 수 있다(마 3:9). 하지만 하늘에서 내려온 "생명의 빵"(말씀)이신 자신에 관해 넌지시 언급하심으로써 자신이 하나님의 아들이심을 밝히신다(요 6:26-63).

2) 『**네가 하나님의 아들이면.... 뛰어내려 보라**』(6,7절).

마귀는 시편 91:11에서 말씀하신 "너의 모든 길에서"를 "어느 때라도"로 대체해 버렸다. 이것은 고난은 무시하고 재림의 영광을 "지금" 실현해 보라며, 선지자들의 예언을 무효화시키려는 계략이다. 마귀는 예수 그리스도께서 천사들과 함께 영광 중에 오셔서 왕국을 통치하시고, 세상을 의로 다스리실 것을 알고 있었다.

➠ 하지만 영광을 얻기 위해 먼저 십자가의 고난을 받으셔야 했다. 그래서 사탄은 네가 하나님의 아들이면 "<u>지금</u>"<u>(마 27:42,43, 요 18:36)</u> 그 왕국을 차지해 보라며 시험하고 있다. "너는 주 너의 하나님을 시험하지 말라"고 하신 주님의 말씀은 십자가의 고난을 앞둔 주님을 가로막았던 베드로를 향해, "사탄아, 물러가라"고 하신 말씀과 일맥상통한다(마 16:22,23).

3) 『**네가 내게 엎드려 경배하면, 내가 이 모든 것들을 너에게 주리라**』(9,10절).

예수 그리스도께서는 사탄의 머리를 밟으시고, 세상 왕국들을 깨뜨리심으로써 그분의 영원한 왕국을 세우실 것이다(창 3:15, 단 2:44, 계 11:15). 그런데 사탄은 지금 자신에게 경배하면 자신이 탈취한 왕국을 주겠다고 예수님을 회유하고 있다. 하지만 그분의 왕국은 사탄이 제시한 "이 세상의 왕국"이 아니다(마 27:42, 요 18:36).

<"광야의 시험"에서 얻는 교훈>

❶ 마귀는 육신의 정욕, 안목의 정욕, 생의 자랑을 무기로 삼는다(요일 2:16).

❷ 마귀를 대적하는 무기는 <u>하나님의 말씀</u>이다(신 8:3; 6:16,13, 엡 6:17).

❸ 마귀의 약속은 모두 거짓말이다(요 8:44, 창 3:5, 벧후 2:19).

❹ 마귀는 자기 목적을 위해 <u>말씀을 변개시키고 함부로 적용한다</u>(딤후 2:15).

❺ <u>시험을 통과하신 주님께서는 우리에게 피할 길을 마련하시고, 능히 우리를 도우실 수 있다</u>(고전 10:13, 히 2:18).

3. 예언의 부분적 성취 : 『말씀하신 것을 이루려함이니』(11-16절)

1) 역사적 적용(초림) : ❶ 요한에게 침례를 받으시고, 광야에서 마귀의 시험을 마치신 주님을 천사들이 와서 섬긴다(히 1:13,14). ❷ 시험 후에 주님께서는 요단 강으로 돌아오셔서 "세상 죄를 제거하는 하나님의 어린양"(요 1:29)이라 불리시며 요한복음 2-4장까지의 행보를 이어 나가신다. ❸ 이제 침례인 요한이 투옥되고(12절), 주님께서는 다시 갈릴리로 가신다(마 4:12, 막 1:14, 눅 4:14). 그리고 안식일 회당에서 이사야의 글을 읽으시는데(눅 4:16-30), 9장의 1,2절만 부분적으로 인용하시고는 본격적인 사역에 임하신다.

2) 교리적 적용(재림) : 이사야 9:1-7은 교리적으로 "재림하시는 예수 그리스도"의 통치를 나타낸다. ❶ 이사야 9:1-3은 "**야곱의 고난의 때**"라 불리는 대환란과 관련된 구절이다. 특히 『**주께서 그 민족을 번성케 하셨으나 그 즐거움은 늘리지 아니하셨나이다.**』라는 3절의 말씀은 이집트의 박해를 받던 이스라엘을 떠올리게 한다(출 1:12). ❷ 이사야 9:4,5은 "**아마겟돈**" 전쟁과 관련된 구절이다. 이날은 "주의 날"로 불리는 심판의 날로, 기드온에 의해 이방 왕국을 무너뜨린 "미디안의 날"로 비유된다(판 7장). 이 전쟁 후에 예수 그리스도께서 다윗의 보좌에 앉으셔서 그분의 왕국을 의로 통치하실 것이다. ❸ 이사야 9:6,7은 "**천년왕국**"으로도 불리는 물리적인 왕국인 "천국"(the kingdom of heaven)과 관련된 구절이다. "천국"이 오기 전까지 이 땅에는 결코 화평이 이룩되지 않는다. 천년왕국 기간에는 그리스도의 통치의 빛 아래서 이방인들도 즐거워하게 될 것이다.

3) 영적 적용(교회 시대) : "참 빛이신 예수 그리스도"를 이방의 죄인들이 자신의 구주로 섬기는 것에 적용할 수 있다. 따라서 예수 그리스도를 거부

한 이 시대의 모든 유대인은 이방의 죄인들이 되는 셈이다.

4. 사역의 시작

예수님의 갈릴리 사역은 침례인 요한이 임무를 마치고, 옥에 갇히면서부터 본격적으로 시작된다. 주님께서 침례를 받으시고 사역하신 지 약 6개월이 지난 시점까지 침례인 요한은 감옥에 갇히지 않았으며 여전히 주님에 관해서 증거하고 있었다(요 3:23-36). 이 기간은 주님께서 사역하신 초기의 기간으로, 주님의 선두주자인 침례인 요한과 주님의 사역이 겹치는 시기다. 침례인 요한이 감옥에 갇히기 전에 고백한 대로(요 3:24,30), 이제 그분께서 융성해지셔야 할 때가 온 것이다.

5. 제자들을 부르심

1) 베드로와 그의 형제 안드레

마태복음 4장에서 베드로와 안드레는 주님과 두 번째의 만남을 갖는다(요 1:40-42, 첫 만남). 주님은 그들을 처음으로 "사람들을 낚는 어부"로 부르셨다. 누가복음 5장에서 그들을 두 번째로 부르시는데(세 번째 만남), 이때 베드로는 예수님을 "주"(Lord)라 고백하며, 모든 것을 남겨둔 채 주를 따라간다(눅 5:11 vs. 20절).

2) 세베대의 아들 야고보와 그의 형제 요한도 그들의 재산과 가족을 버려두고 주님의 부르심에 순종했다.

6. 왕국 복음과 치유의 표적

1) 『**왕국 복음을 전파하시며... 그들을 고쳐 주시니라**』(23,24절).

> 왕국 복음은 오직 이스라엘에게만 주어진다(마 10:5,6). 바빌론 포로기를 거친 이스라엘이 간절히 바라던 "메시아"께서 그 모습을 드러내셨고, 이제 이스라엘은 그분을 알아봐야 했는데, 그분을 알아볼 수 있는 표식이 바로 "표적과 이적"이었다.

2) 왕국 복음이 전파될 때 "치유"가 동반됨을 주목해야 한다. 이러한 기적적인 치유는 이스라엘을 처음 민족으로 부르실 때부터 함께 있어 왔다(출 4:1-9; 15:26). 이처럼 성경에서 "치유"라는 용어는 대부분 이스라엘과 연관된다. 사실 그들은 "표적"으로 시작한 민족이었다(출 4:30).

3) 침례인 요한이 제자들을 보내어 "당신이 오실 그분이시니이까?"(11:3)라고 묻자, 예수 그리스도께서는 자신이 그 메시아임을 입증하는 일련의 치유의 표적들을 언급하셨다(11:5). 적그리스도도 이를 모방하여 대환란 때에 표적과 이적을 행하면서 이스라엘 앞에 등장할 것이다(계 13:3,4).

■ 새롭게 깨달았거나 적용할 내용이 있다면 적어 보세요. ■

제3과
복습문제

1. 말라키 선지자 이후 약 400년간의 기나긴 세월 동안 "이스라엘의 위로"(눅 2:25)를 기다리던 그들 앞에 "메시아"가 탄생한다. 하지만 예언에 따라 그분에 앞서 왕국 복음을 전파하고, 회개의 "침례"를 주며, 왕의 길을 예비하는 사역이 전개되어야만 했는데, 이것이 바로 침례인 (　　　　　)의 사역이었다(말 4:5).

2. 침례인 요한과 예수님에 의해 전파된 (　　　　　) 복음은 이스라엘에 의해 거부된다. 하지만 대환란을 거치면서 이스라엘 민족은 민족적으로 회개하고 그들의 왕을 맞이함으로써 예언된 그 왕국이 이 땅에 (　　　　　)왕국으로 세워지게 된다.

3. 침례인 요한은 "회개하고, 죄들을 사함받은 것으로 인해 침례를 받으라"면서 회개의 침례를 전파한다. 하지만 왕으로 오신 주 예수 그리스도께서는 (　　　　)으로 침례를 주실 것이며, 복음을 거부하는 모든 자들에게 불로 심판하는 (　　　　)침례를 주실 것이다.

4. 광야에서 행한 마귀의 세 가지 시험은 예수님께서 영원히 이 땅을 통치하실 "(　　　)으로 오신 하나님의 (　　　　　)"이심을 거부하려는 적대 행위였다(마 27:42,43).

5. 왕으로 오신 주님께서 왕국 복음을 전파하시고, 동시에 (   )의 표적을 나타내 보이심으로써, 자신이 예언된 메시아임을 직접 증명하셨다(사 35:5,6).

■ 새롭게 깨달았거나 적용할 내용이 있다면 적어 보세요. ■

■ 복습 문제의 정답은 홈페이지(www.solomonbtc.org)에서 확인할 수 있습니다.

NOTES

NOTES

제4과
"팔복"은 누구를 위한 교리인가?(5장)

『영이 가난한 자들은 복이 있나니, 천국이 그들의 것임이요... 의로 인하여 박해를 받는 자들은 복이 있나니, 천국이 그들의 것임이라』(마 5:3,10).

"메시아 왕"으로 오신 주님께서는 이스라엘에게 천국을 선포하시며, 그들이 왕국을 받아들일 수 있도록 조건들을 형성하고 계신다. 하지만 예수님께서는 유대인들이 자신을 거부할 것과 왕국이 연기될 것을 미리 아셨고, 또한 영광스러운 재림 전에 대환란이 있을 것도 아셨다. 그렇기에 주님께서는 왕국의 연속선상에서 "대환란 기간을 포함해서, 천년왕국에서 지켜야 할 규례들"을 말씀하신다. 이 교회 시대에 산상설교를 영적으로 적용할 수 있지만, 교리적으로는 적용할 수 없다는 사실을 분명히 유념해야만 한다. 산상설교가 왕국의 법령이라는 사실을 정확히 알지 못하면, 마태복음에서 말씀하는 왕국 복음을 이 시대의 은혜의 복음과 뒤섞어 적용함으로써 큰 혼란에 빠지게 된다.

팔복은 누구를 위한 교리인가?

예수님께서 마태복음 5-7장에서 말씀하신 산상설교 안에는 소위 "팔복"(5:3-10)으로부터 시작하여 "주기도문"(6:9-13), "황금률"(7:12) 등의 내용이 포함되어 있다. 오늘날 대부분의 제도화된 교회들에서는 이 말씀들을 교회 시대의 교리로 적용하고 있다. 하지만 구약에서 예언된 메시아 왕이 탄생하시고(2장), 구약에서 예언된 왕국이 준비되는 가운데(3,4장) 말씀하신 설교이기 때문에, 산상설교 역시 왕국의 관점에서 바라봐야 한다.

1. 산상설교는 유대인들을 위한 교리다.

1) **마태복음에는 "천국"이라는 말이 자주 등장하는데(33회), 산상설교에서는 이 천국을 다루고 있다**. 천국은 이 땅에 펼쳐질 실제적인 왕국이기 때문에 왕으로 오신 예수 그리스도께서 그 왕국의 법령을 선포하시는 것은 당연하다. 이것을 세대주의적인 관점에서 보지 못하고, 교회 시대의 교리로 적용시켜 버리면 많은 오류를 범하게 된다.

2) **무엇보다 천국에서의 규례는 모세의 율법보다 더 엄격하기 때문에, 이런 구절들은 교회 시대에 교리적으로 적용할 수 없다**(마 5:18-20,22,29,30). 천국은 완전한 의로 다스려지는 나라로서, 왕국의 법을 어긴 자들은 즉시 불 속으로 던져진다.

3) **예수님께서는 "왕국 복음"을 전파하시면서 동시에 "왕국의 표적들"을 보이셨다**. 이 표적은 이스라엘 백성에게 그들의 메시아와 그분의 왕국이 가까웠음을 증명한다. 그렇기에 사마리아를 제외한 팔레스타인 전 지역에서 큰 무리가 예수님을 따른 것이다(마 4:25). 왕국 복음과 그에 동반된 치유의 표적들은 이스라엘과 관련되어 있다(출 4:1-9,30; 15:26).

2. 산상설교는 은혜의 복음이 아니다.

산상설교가 행해졌던 때는, ❶ 그리스도인이 한 명도 없었고, ❷ 지역 교회도 없었으며, ❸ 십자가 사건 이전으로 예수 그리스도의 죽으심과 장사되심과 부활하심에 관한 지식이 없었다. 그뿐만 아니라 ❹ 설교의 대상은 십자가 이전의 유대인들이었다. ❺ 또한 산상설교는 왕국 복음이 전파되는 연속선상에서 선포된 설교이기에 마태복음 8,9장에서도 표적들이 계속해서 나타난다. ❻ 무엇보다도 이 설교의 핵심은 "율법의 의"보다 훨씬 엄격한 "의"에 관한 것이다. ❼ 따라서 산상설교는 유대인들이 그들에게 주어진 왕국에서 행해야 할 완전한 법령으로, 천년왕국에서뿐만 아니라 왕국이 임하기 직전인 대환란 기간에 왕국에 들어가기 위해 지켜야 할 규례들도 포함되어 있다(6:9-13).

세대주의적 관점에서 본 팔복

1. 영이 가난한 자의 복 : 천국이 그들의 것임이요(3절)

구약에서 "영"은 종종 "마음"과 연관된 상황에서 사용된다(시 51:17, 상한 "영"과 상하고 참회하는 "마음"). "영이 가난한" 자가 있는 반면, "쾌락 가운데 살고 방탕함으로써 마음을 살찌우는" 자들도 있다(약 5:5). 따라서 "회개하라"고 전파하신 것은, 단순히 "참회하는 마음으로 구원을 받으라"는 것이 아니라, "참회하는 영을 가진 자들"만이 천국을 소유할 수 있다는 사실을 천명하신 것이다.

2. 애통하는 자들의 복 : 그들은 위로를 받을 것임이요(4절)

1) 왕국의 도래를 앞두고 이스라엘은 왜 애통해하는가? 이것은 천년왕국 이전에 이스라엘이 겪게 될 대환란 기간의 상황을 암묵적으로 보여 주고 있다. 즉 대환란 기간에 짐승의 표를 거부하고 믿음과 계명을 지킨 자들이 적그리스도의 극심한 박해로 인해 애통 가운데 있을 것이기 때문이다(눅 6:25, 약 4:9).

2) 이 말씀은 교회 시대에 고난과 핍박으로 인한 개인적 슬픔에 관한 것이 아니고, **왕을 거부한 죄의 징계로 마지막 날들에 이스라엘이 겪게 될 "예루살렘의 큰 애통"(욜 2:12-14, 슥 12:11)에 관한 것이다**. 결국 그들은 민족적으로 회개한 후에야 위로를 받게 될 것이다(욥 5:17,18).

3. 온유한 자들의 복 : 땅을 유업으로 받을 것임이요(5절)

1) 시편 37:11에서도 온유한 자들은 "땅을 유업으로 받고, 화평의 풍요함으로 기뻐하게 될 것"을 말씀하신다. 구약에서 온유한 자는 "주를 찾는 자"(시 22:26)요, "주의 공의를 행하는 자"(습 2:3)이다. 결국 왕으로 오실 주 예수 그리스도를 바라고 계명들을 지키는 자들이 땅을 유업으로 받게 될 것이다.

2) 그리스도인들도 천년왕국에서 땅을 유업으로 상속받게 된다. 하지만 5절 말씀에서처럼 "온유함" 때문에 상속받는 것이 아니라, 교회 시대에 그리스도와 함께 받은 "고난"에 따른 보상으로 땅을 유업으로 상속받게 된다(롬 8:17, 골 3:24, 딤후 2:12).

4. 의에 굶주리고 목마른 자들의 복 : 배부를 것임이요(6절)

이것은 육신의 배고픔이나 갈증이 아니다. 『**주의 말씀들을 듣지 못하는 기근**』(암 8:11)을 말한다. 이때가 바로 『**내게 열심히 경청하고 좋은 것을 먹으라. 그리하여 너희 혼이 풍요함 속에서 스스로 기뻐하게 하라.**』(사 55:2)라는 명령을 실행해야 할 때다(cf. 4:4). 무엇을 먹고, 무엇을 마실까를 염려하지 말고, 먼저 "하나님의 나라와 그분의 의를 구하면 그 모든 것을 더해 주시리라"(6:33)라는 약속이 이루어지는 때인 것이다.

5. 자비로운 자들의 복 : 자비를 얻을 것임이요(7절)

자비를 얻는 조건이 행위에 있다는 것은 이 시대의 은혜와는 무관하다(약 2:13 vs. 벧전 2:10). 오히려 십계명에 나타난 하나님의 자비와 유사하다(출 20:6). 이 시대에 구원받지 못한 사람은 누구든지 그가 행한 자비로운 행위와 상관없이 하나님의 어떤 자비도 얻지 못한 채 지옥으로 던져진다.

6. 마음이 순결한 자들의 복 : 하나님을 볼 것임이요(8절)

1) 시편 24편은 예수 그리스도께서 왕국에서 통치하실 때를 말하고 있는데 (시 24:7-10), 마음이 순결한 자는 "**헛된 것에 자기 혼을 들어 올리지 않**

고, 거짓되이 맹세하지 않음으로써 주님으로부터 복과 그분의 의를 받는다"고 설명하고 있다. 따라서 마음이 순결한 것만으로는 하나님을 볼 수 없고(cf. 계 1:7), 주의 거룩한 산에 참여할 수 있도록 무엇인가를 행해야만 한다. 말하자면 『**모든 사람과 더불어 화평함과 거룩함을 추구하라. 이것이 없이는 아무도 주를 보지 못하리라.**』(히 12:14), 『**선을 행하는 자는 하나님께 속하였으나, 악을 행하는 자는 하나님을 보지 못하였느니라.**』(요삼 1:11)라는 말씀처럼 행해야만 주님을 볼 수 있는 것이다.

2) 하지만 이 시대에 거듭난 그리스도인은 비록 순결한 마음으로 살지 못하더라도 그분을 보게 될 것이고 영원히 그분과 함께할 것이다(요일 3:2).

7. 화평케 하는 자들의 복 : 하나님의 자녀라 불릴 것임이요(9절)

1) 예수 그리스도께서 재림하셔서 "화평의 통치자"(사 9:6)로 다윗의 보좌에 앉으시기 전에 이스라엘은 그분의 통치를 알리며 왕국 복음을 전파한다. 이것이 바로 이사야 52:7에서 말씀하시는 "화평의 복음"이다. 이들이 바로 "화평케 하는 자들"로서 하나님의 자녀라 불리게 된다.

2) 하지만 이 시대에 예수 그리스도를 영접한 사람들은 누구든지 하나님의 아들들이 되는 권세를 받는다(요 1:12). 따라서 사람들 사이에서 화평케 하지 못했을지라도 여전히 그는 하나님의 아들이다.

8. 의로 인하여 박해를 받는 자들의 복 : 천국이 그들의 것임이라(10절)

1) 여기서 말하는 "의"는 "율법의 의"로서, 이것을 행하고자 하는 자들에게는 반드시 박해가 뒤따른다(11절, 눅 6:22,23). 따라서 인내하며 끝까지 견딘 자들에게는 그 행위에 따른 보상으로 천국이 주어진다.

2) 거듭난 그리스도인들도 "의"로 인해, 곧 예수 그리스도의 은혜의 복음을 전파하는 것 때문에 박해를 받는다. 이것은 왕국의 "율법의 의"와는 다르게, "믿음에서 난 의"를 전파함으로써 받는 박해이다(갈 5:11). 그러나 신약의 그리스도인들은 이러한 박해를 끝까지 견딤으로써 구원을 유지하지는 않는다. 다만 인내로 박해를 견뎌 냈을 때 그에 대한 보상으로 천년왕국에서 유업을 상속받아 주님과 함께 다스리는 것이다(계 5:10; 20:6).

왕국의 자녀에게 요구되는 조건

1. 너희는 "땅의 소금"이라(13절)

1) 이스라엘은 왕국(땅)과 관련이 있으므로 "**땅의**" 소금으로 불린다. 그래서 그들의 행위에 따라 땅(세상)이 "복" 또는 "저주"의 상태에 놓이게 된다(창 12:3, 말 4:6, 롬 11:12-20). 따라서 부패를 방지해야 할 그들이 맛을 잃고 스스로 부패하면 내버려져서 짓밟히는 것이다.

2) 이스라엘은 하나님의 계명을 지키지 않고, 주 앞에 올바르게 행하지 않음으로써 이방인들에게 무수히 짓밟혔다. 이러한 일은 대환란 기간에도 반복될 것이다(계 11:2). 다만 그들이 온전히 회개하고 메시아께로 돌아와

온전한 왕국 백성이 되면, 그때 세상 민족들은 그들로 인해 복을 받게 된다(창 12:2,3).

3) 하지만 교회는 결코 "땅의 소금"이 될 수 없다. 교회는 부패한 세상을 변화시키는 것이 아니라, 성별을 통해 분리되어야 한다(고후 6:14-16). 하지만 소금으로 맛을 내듯 "적합한 말"을 함으로써 지체들을 세워 주고 늘 은혜가 넘치게 해야 한다(골 4:6). "비속하고 허황된 말장난"으로 주변 사람들의 눈살을 찌푸리게 해서는 안 된다(딤후 2:16).

2. 너희는 "세상의 빛"이라(14-16절)

1) 산 위에 있는 성읍은 주님께서 다스리실 성읍으로서(마 5:35, 시 122편) 모든 이에게 드러나게 보여 주실 것이다. 온전한 의로 다스리실 왕국에서 이방인들은 그분의 통치의 빛 아래서 주님께 영광을 돌릴 것이다. 그러므로 이스라엘 백성은 "세상의 빛"으로서 그들의 선행을 나타내 보여야 하고(16절), 그 빛을 본 사람들로 하여금 "하늘에 계신 그들의 아버지"께 영광을 돌리게 해야 한다.

2) 주님께서는 "세상의 빛"(요 8:12; 9:5)이시다. 그 빛을 받은 그리스도인들도 세상을 향해 "빛들을 비추는 자들"(빌 2:15)로서 어두움 가운데 헤매는 죄인들을 예수 그리스도께로 인도해야 한다.

3. 천국에서 큰 사람(17-19절)

"아버지의 뜻"(율법의 일점일획 : 예언된 모든 것, 눅 24:44)을 이루시려고 이 땅에 오신 예수 그리스도께서는 이스라엘에 "의"와 "구원"을 선포하셨다(시 40:7-10, cf. 골 1:25). 그러면서 자녀들이 왕국 법령인 주의 계명들, 곧 "서기관들과 바리새인들보다 더 뛰어난 의"를 행하도록 가르치셨는데 이는 그들이 천국에서 큰 사람으로 불리기를 바라셨기 때문이다.

4. 천국에 들어가는 조건(20절)

산상설교의 핵심은 "의"(義)다. 바리새인들은 "율법이 요구하는 의"를 완벽하게 지키고자 했던 "근본주의자"들이었다. 그들이 지키라고 요구했던 "율법의 의"도 엄격한데, 천국에서는 이보다 훨씬 더 엄격한 잣대의 "의"가 요구된다. 심지어 마음에서 일어나는 악한 생각마저 "죄"라 단정하고 있는데(21,22,27,28절), 이를 범하면 결코 천국에 들어가지 못하게 된다.

율법보다 "뛰어난" 왕국 헌법

1. 살인에 관한 규례(21,22절)

1) 메시아 왕국에서는 자기 형제에게 "**<u>까닭없이</u>**" 노하거나 "라가"라고 하거나 "어리석은 자"라고만 해도 살인한 자가 받는 것과 동일한 심판을 받게 된다.

2) 바울은 이 법을 어겼지만(고전 15:36, 갈 3:1), 결코 지옥에 가지 않았다(롬 8:31-39, 딤후 4:18). 이것이 하나님의 은혜로 구원을 받는 시대와 다른 점이다.

2. 화해에 관한 규례(23-26절)

어떤 형제에 대해 갖고 있는 반감이 생각날 때 제단에 예물을 드리기보다는 그와 먼저 화해를 이루어야 한다(마 9:13). 대적에 대해서도 마찬가지다. 이것은 하나님 안에서 맺고 있는 이웃과의 관계에 대한 규례로서 아무리 사소한 문제라도 쉽게 묵과되거나 용서될 수 없는 엄격한 법이다.

3. 간음에 관한 규례(27,28절)

율법보다 뛰어난 왕국 헌법으로서 간음에 관한 규례는 음욕을 품고 여자를 바라보는 것만으로도 간음으로 간주가 되는 엄격한 법이다. 성과 관련된 죄는 누구든지 쉽게 지을 수 있는 죄이기 때문에, 이 규례는 특히 그리스도인들의 경건한 삶을 위해서 영적으로 충

분히 적용할 수 있는 말씀이다. 다만 이 시대에는 마음에 음욕을 품었다고 해서 지옥으로 떨어지지는 않는다.

4. 이혼에 관한 규례(31,32절)

1) 신명기 24:1-4에 따르면 음행한 연고 외에도 남편이 아내에게서 어떤 수치스러운 일을 발견하면 이혼증서를 주어 그녀를 내쫓을 수 있다. **그러나 왕국에서는 음행한 이유가 아니라면 결코 아내를 버려서는 안 된다**.

2) 천국에서는 이혼당한 여자와 혼인하는 것조차 간음으로 규정하고 있다. 참고로 신약의 교회 시대에는 남편이 죽었을 경우 아내는 그 남편으로부터 자유롭게 되었기에 재혼을 할 수 있다.

5. 맹세에 관한 규례(33-37절)

율법에 따르면 주께 드린 맹세는 반드시 지켜야 한다. 그렇지 않으면 그것은 거짓 맹세가 되기 때문이다(33절, 신 6:13). 반면에 천국에서는 맹세 자체가 금지된다. 왜냐하면, 하늘은 하나님의 보좌요, 땅은 하나님의 발판이며, 예루살렘은 위대한 왕의 도성이기 때문이다(직접적인 통치). 그러므로 왕국에서는 "예"나 "아니오" 그 이상으로 말하는 모든 것은 악으로 규정된다.

6. 용서에 관한 규례(38-42절)

1) 율법은 악에 관한 한 그대로 응징할 것을 말씀하고 계신다. **하지만 왕국 헌법은 "악에 저항하지 말고, 오히려 맞은 뺨 외에 다른 뺨도 돌려 대고 (cf. 요 18:22,23) 부당한 요구라 해도 들어주며, 구하거나 빌리고자 하는 자에게 손을 거두지 말고 오히려 주라"고 명령하신다**.

2) **왕국의 법은 이처럼 자신에게 엄격한 잣대를 요구하는 반면, 다른 사람의 잘못에 대해서는 매우 관대하게 행하라는 지침을 준다**. 이것은 로마서 12:17-20의 말씀에 따라 이 시대에 영적으로 적용할 수 있다. 하지만 그리스도인들은 주님의 보혈로 죄들이 이미 용서받았기 때문에, 누구를 용서하지 않는다고 해서 구원을 잃어버리지는 않는다.

7. 사랑에 관한 규례(43-48절)

1) 사랑할 대상에 대한 율법의 규정은 분명하다. 곧 "이웃을 사랑하고, 원수는 미워하라"(43절)는 것이다. **하지만 천국에서는 이웃뿐만 아니라 "원수도 사랑해야 하고, 심지어는 저주하는 자들조차 축복하며, 선하게 대하고, 기도해 주라"고 명령하신다**.

2) **"온전하다"는 말씀은 노아에게 처음 사용된 단어로, 이것은 "죄가 없는 완전한 상태"를 의미하지 않는다**. 이것은 문맥적으로 "어떤 요구를 충족시키는 온전함"을 말한다. 즉 이 규례는 하늘에 계신 아버지께서 태양을 비추시고 비를 내리실 때 모두에게 "똑같이" 주시는 것과 같은 맥락에서 "온전하라"고 명령하는 것이다.

3) **따라서 자신에게 악하게 대하는 자들에게도 사랑하고, 친절하며, 기도하고, 선으로 악을 갚는 행위로 온전해져야 하는 것이다**. 이것을 행하지 않으면 하나님의 자녀가 될 수 없다는 것이 바로 "왕국의 법"이다.

■ 새롭게 깨달았거나 적용할 내용이 있다면 적어 보세요. ■

제4과
복습문제

1. 마태복음에는 "천국"이라는 말이 자주 등장하는데, 산상설교는 이 천국을 다루고 있다. 특히 여기에 나타나는 규례들은 모세의 율법보다 더 엄격하기에, 이런 구절들은 교회 시대에 적용할 수 없다(마 5:18-20,22,29,30). 특히 왕국 복음에 동반되는 치유의 표적들은 이스라엘과 관련된 것임을 성경이 증명하고 있다(출 4:1-9,30; 15:26). (O , X)

2. 예수님께서 말씀하신 소위 "팔복"과 관련하여 첫 번째 복과 마지막 복에서 말씀하신 대로 "그 복을 받는 자들은 (   )이 그들의 것"임이라고 말씀하신다. 따라서 천국과 관련된 팔복은 결코 이 시대의 그리스도인을 위한 교리가 될 수 없다.

3. 왕국 헌법은 "왕국의 자녀들"을 향해 너희는 "땅의 (   )"이요, "세상의 (   )"이라고 말씀하신다.

4. 예수 그리스도께서 선포하신 산상설교의 핵심은 "의"(義)다. 특히 천국에서는 "(   )들과 (   )들보다 더 뛰어난 의"가 요구된다.

5. 율법에 따르면 하나님께 드린 맹세는 반드시 지켜야 한다. 그렇지 않으면 그것은 거짓 맹세가 되기 때문이다(33절, 신 6:13). 따라서 천국에서는 더더욱 맹세를 잘 지켜야 한다. (O , X)

6. 『나는 너희에게 말하노니, 아예 맹세하지 말라. 하늘로도 말지니, 이는 그곳이 하나님의 (   )임이요, 땅으로도 말지니, 이는 그곳이 그분의 (   )임이요, 예루살렘으로도 말지니, 이는 그곳이 위대한 (   )의 도성임이라』(마 5:34,35).

■ 새롭게 깨달았거나 적용할 내용이 있다면 적어 보세요. ■

■ 복습 문제의 정답은 홈페이지(www.solomonbtc.org)에서 확인할 수 있습니다.

NOTES

NOTES

제5과
그리스도인은 주기도문을 외우지 않는다(6장)

『너희는 기도할 때에 이교도들이 하는 것처럼 헛된 반복을 하지 말라. 이는 그들이 말을 많이 하여야 들으리라 생각함이라』(마 6:7).

자선에 대한 규례(1-4절)

1. 유대인들은 “사람들에게 보이려고”(1절) 또 “사람들에게 영광을 얻으려고”(2절) 자선을 베풀면 하늘에 계신 아버지께 상을 받지 못한다.

> 자선을 베풀 때는 오른손이 하는 것을 왼손이 모를 정도로 은밀히 베풀어야 그 자선 행위를 은밀히 보시는 아버지께 인정을 받아 드러나게 갚아진다(3,4절).

1) 주님께서는 1절에서 『너희 아버지』라는 표현을 쓰셨는데, 마태복음 6장에서는 “너희”라는 표현이 39번 등장한다.

2) 산상설교에서는 “너희”가 “이교도”와 대조되는 개념으로 쓰인다(마 6:7, 32). 따라서 이 구절에서 “너희”는 이방인들과 구별되는 유대인을 가리키는 표현이 된다.

2. 마태복음 6장을 공부해 나가면서 주목해야 할 단어는 “은밀히”(4,6절)와 “드러나게”(4,6절)이다.

1) 이것을 왕국과 관련하여 교리적으로 본다면, 마태복음 6장은 유대인들이 은밀하게 행한 것에 대하여 많은 사람이 보는 데서 “드러나게” 보상받는다고 가르치고 있다.

2) **그리스도인들은 그리스도의 심판석에 가서 보상을 받는다**(고전 3:8-14, 눅 14:12-14). 그리스도인들은 생애 중에 보상받을 수도 있지만, 그것이 성경에 약속된 것은 아니다. **그러나 왕국 백성인 유대인들은 자기들의 행위에 대해서 왕국에서 "드러나게" 보상받게 된다**.

기도에 관한 규례(5-15절)

5절부터 시작되는 기도에 관한 규례는 소위 "주기도문"을 포함하고 있다. 6장의 "너희"가 왕국을 기다리는 유대인들임을 감안하면, 이 기도는 교회 시대의 그리스도인들이 아니라 유대인들이 해야 할 기도임을 알 수가 있다.

1. 예수 그리스도께서는 "사람들에게 보이려고"(5절) 기도하는 위선자들의 기도를 경고하시면서 "골방에서 드리는 은밀한 기도"를(6절) 강조하신다.

1) 자선 및 기도와 관련하여 주님께서는 "위선자들"을 언급하셨다(2,5절). 주로 바리새인들을 겨냥하셨던 이 말에는 두 가지 뜻이 담겨 있다.

(1) "배우"(actor) ➠ **위선자란 배우처럼 자기의 진실한 모습을 숨기고 거짓을 꾸며 실감나게 연기하며 겉으로만 선하게 보이려는 사람을**

말한다. 사람들 앞에서 자선을 행하고 사람들 앞에서 기도를 하는 등 바리새인들이 자기를 의롭게 보이려고 행한 행위들은 배우들의 연기처럼 아주 그럴듯했다.

(2) "**극단적인 비평가**"(hyper-critics) ➠ **"hypocrite"(위선자)라는 단어는 "hyper"(극단적인)와 "critical"(비평적인)로 나눌 수 있는데 이것이 바로 바리새인들의 특성이다**. 그들은 어떠한 상황에서도 예수 그리스도를 비난했는데, 그들은 그리스도께서 능력 있는 일들을 행하실 때조차도 그 모든 기적을 무시하고 주님을 "극단적으로 비평했다."

➠ 마가복음 2:5,7에서 예수님께서 중풍병자를 고쳐 주시자 그들은 하나님을 모독한다고 비판했다. 마가복음 3:5,6에서는 안식일에 손 마른 자를 고쳐 주시자 예수님을 죽일 음모를 꾸몄다. 마가복음 3:15,22에서는 마귀들을 쫓아내셨을 때 주님을 마귀 들렸다고 비난했다. 마가복음 6:43에서 오천 명을 먹이신 이후에는 손을 씻지 않고 먹는 것을 비난했다(막 7:1,2). 마가복음 8:9,11에서 주님께서 사천 명을 먹이시는 것을 본 후에는 하늘로부터 온 표적을 요구했다.

2) **예수님께서는 왕국 백성인 유대인들에게 "골방에서 드리는 은밀한 기도"를 강조하시면서 은밀히 보시는 아버지께서 드러나게 갚아 주실 것을 약속하셨다(6절)**.

신약의 그리스도인들은 언제 어디서나 공개적으로 기도할 것을 명령받는다(딤전 2:8, 행 27:35). 사도 바울은 디모데

전서 2:8에서 이러한 행위를 권장하고 있다. 그렇다고 그리스도인들이 은밀한 기도를 드리는 것을 금지한 것은 아니다. 바쁜 생활 가운데서도 하나님과 특별한 시간을 갖고 그분과 기도로 조용히 교제하라는 적용은 우리 경건의 생활에 큰 도움이 된다.

2. 예수 그리스도께서는 "이교도들처럼 헛된 반복으로 하는 기도"에 대해 경고하셨다(7절).

1) 유대인들은 그들을 닮지 말아야 하는데, 이는 그들의 아버지께서는 그들이 무엇을 필요로 하는지 알고 계시기 때문이다(8절).

2) 이교도들의 "헛된 반복"에는 첫째, 아무 의미 없는 말을 반복하는 것이고, 둘째, 의미 있는 말이라 해도 그것을 계속 반복적으로 기도하는 것이 포함된다. 이 두 가지 반복은 이교도들의 관습으로서 살아 계신 하나님께 기도하는 성도들에게는 합당치 않다. 왜냐하면, 굳이 반복하지 않아도 하나님께서는 우리가 필요로 하는 것들을 미리 다 알고 계시기 때문이다!

3. 마태복음 6:9-13의 소위 "주기도문"은 교회를 위한 기도가 아니다. 그것은 예수님께서 천년왕국 헌법인 산상설교(마 5-7장)를 하시던 중 유대인 열두 제자에게 가르쳐 주신 "대환란 때 드릴 기도"이다.

➡ 대환란은 천년왕국 이전에 있게 될 전무후무한 대재앙으로, 이스라엘과

관련된 『**야곱의 고난의 때**』(렘 30:7)로 묘사된다. 야곱, 곧 이스라엘의 고난의 때라면 주님께서는 주님의 백성인 이스라엘이 그 고난을 잘 통과할 수 있도록 기도에 있어서 도움을 주셔야 했을 것이다. 그것이 주님께서 "유대인 제자들에게 가르쳐 주신" 마태복음 6장의 "제자들을 위한 기도"이다. 그렇다면 이렇게 말할 수 있는 해석적 근거는 무엇인가?

4. 마태복음 6:9-13의 "제자들을 위한 기도"는 다음과 같이 해석되어야 한다.

✍ 주님께서는 『그러므로 너희는 이렇게 기도하라.』(9절)라고 하셨다.

➠ **"너희"는 신약의 그리스도인들이 아니라, 문맥상 십자가 이전에 여전히 율법하에 있던 "유대인 제자들"을 가리킨다**. 이스라엘은 하나님께서 "민족적으로" 낳으신 "한 아들"이기에(출 4:22), 그들은 하나님을 부를 때 개인적으로 "나의 하나님"이라 하지 않고 『**우리 하나님**』(수 24:24, 삼상 7:8, 왕하 19:19 등)이라고 부른다. 따라서 『**하늘에 계신 우리 아버지**』(9절)는 유대인들이 그들의 하나님을 민족적으로 부를 때 사용하는 이름이다. 이처럼 이 기도는 유대인들이 그들의 하나님을 부르는 것에서 시작된다.

✍ 주님께서는 제자들에게 『아버지의 왕국이 임하시오며, 아버지의 뜻이 하늘에서와 같이 땅에서도 이루어지이다.』(10절)라고 기도하라 하셨다.

➠ **『아버지의 왕국이 임하시오며』는 "Thy kingdom come," 즉 장차 주님**

의 왕국(Thy kingdom)이 오는(come) 것을 말한다. 이것은 대환란 직후 도래할 물리적이고 가시적인 지상 왕국으로, 결코 『**성령 안에서 의와 화평과 기쁨**』(롬 14:17)이요 "너희 안에 있다"(눅 17:21)고 말씀하신 영적인 하나님의 나라가 아니다. 이 기도는 자신들의 메시아 왕께서 가져오실 지상 왕국을 바라는 유대인들에게 가르쳐 주신 기도이다.

✍ 주님은 『오늘 우리에게 일용할 양식을 주시옵고』(11절)라고 기도하라 하셨다.

➠ 이것은 매일의 양식을 하늘의 하나님으로부터 받아먹어야 할 유대인 환란 성도들을 위한 것이다. 유대인 환란 성도들은 대환란 때 적그리스도의 박해를 피해 광야로 가서 삼 년 반 동안 초자연적으로 부양받게 된다(계 12:14). 그때는 정말 하루하루의 양식을 위해 간절히 기도하지 않으면 안 된다. 이 미래의 사건을 예표했던 것이 출애굽기 16장에서 광야의 이스라엘이 일용할 양식을 하늘에서 내려온 만나로 매일 공급받던 일이었다. 주님께서는 그들이 이집트 땅에서 나오던 날들과 같이 다시 한번 초자연적으로 부양해 주실 것이라고 성경에 예언해 놓으셨다(시 74:14, 미 7:14,15). 이 기도는 미래의 그때를 위한 기도이다.

✍ 주님은 『우리가 우리에게 빚진 자들을 용서하는 것같이 우리의 빚진 것들도 용서해 주시오며』(12절)라고 기도하라 하셨다.

(1) 누가복음 11장에서는 이에 대한 참조 구절로 『우리가 우리에게 빚진 모든 사람을 용서하오니 우리의 죄들도 용서하여 주시오며』(4절)라

는 말씀이 나오는데, 이로써 우리는 "빚졌다"는 것이 "죄의 빚을 지었다."는 뜻임을 알 수 있다. 말하자면 이것은 죄를 용서받는 방식이 신약의 그리스도인들과 다르다는 것을 보여 준다. **이는 그리스도인이 누군가의 죄를 용서했기 때문에 용서받은 것이 아니라, 예수 그리스도께서 십자가에서 완성하신 사역을 근거로 그분의 보혈을 통해 죄 용서를 받고 구원받았기 때문이다.** 『**그 안에서 우리가 그의 보혈을 통하여 구속, 곧 죄들의 용서함을 받았느니라**』(골 1:14). 이렇게 구원받은 뒤에 지은 죄들에 대해서는 자백함으로 용서받게 된다(요일 1:9).

(2) **그러나 누군가의 죄를 용서했기 때문에 용서받는 것은 분명 행위 구원이다.** 즉 교회 시대 이후의 대환란 때에 초점이 맞춰져 있는 것이다. 그때에는 예수 그리스도에 대한 믿음에 더하여 끝까지 견디는 행위가 뒤따라야 구원받을 수 있다(계 14:12, 마 24:13). **실로 남을 용서하지 않으면 자신도 용서받지 못하게 되어 구원을 잃어버리는 시대인 것이다.** 따라서 이 기도는 구원을 위해 행위가 요구되는 대환란 때를 위한 기도이다.

> ✍ 주님은 『우리를 시험에 들지 않게 하시옵고, 악에서 구하여 주시옵소서.』(13절)라고 기도하라 하셨다.

➡ **환란 성도들은 행위로 끝까지 견뎌야 구원을 받기 때문에 무엇보다 "시험에 들지 않는 것"이 중요하다.** 광야의 시험의 날과 같이 마음을 완악하게 하여 죄를 짓고 구원을 상실할 수 있기 때문이다(히 3:8). **환란 성도들은 적그리스도의 박해와 같은 "악에서 구함을 받는 것"이 매우 중요하다.** 적그리스도에게 경배하지 않으면 목을 베려고 쫓아올 것

이니, 그런 절체절명의 상황에서 믿음이 약한 사람은 주님을 부인하는 죄를 지을 수 있기 때문이다. 따라서 이것은 교리적으로 환란 성도들을 위한 기도이다.

✍ 주님은 『그 왕국과 권세와 영광이 영원토록 아버지의 것이옵니다.』(13절)라고 기도하라 하셨다.

➡ **주님께서는 10절에 이어 또다시 "왕국"을 언급하시면서 기도를 종결지으신다. 이 기도는 그 시작과 끝이 모두 하늘에 계신 아버지께서 지상에 세우실 "왕국"에 초점이 맞춰져 있는 것이다.** 『**그 왕국과 권세와 영광이 영원토록 아버지의 것**』이라는 말씀은 왕국을 세우시고 소유하시어 영광스럽게 통치하실 분이 하나님이시라는 사실을 의미한다. **즉 마태복음 6장의 "제자들의 기도"는 적그리스도의 박해 아래 있는 유대인 환란 성도들이 그들을 구원하실 메시아 왕의 지상 왕국을 바라보면서 간절히 드려야 할 효과적인 기도이다.** 예수 그리스도의 은혜 아래 있는 신약 그리스도인들은 이 기도와 완전히 무관한 것이다.

5. 예수 그리스도께서는 제자들의 기도 끝에 용서에 관한 추가적인 설명을 해 주셨는데(14,15절), 12절(용서)의 내용을 다시 한번 강조하신 것은, 용서하기 어려운 일들이 많아질(5:10-12) 대환란 때는 "용서"가 구원의 핵심 요소가 될 것이기 때문이다.

6. 예수 그리스도께서는 기도와 관련하여 금식 방법을 설명해 주셨으

며(16-18절), 여기에서도 "사람에게 보이려고" 하는 것과 "은밀히 보시는" 아버지의 공개적인 보상을 대조시키셨다.

1) 금식도 위선자들처럼 사람들에게 보이려고 하면 안 되고 은밀하게 행해야 하며, 그에 대한 보상은 아버지께서 드러나게 해 주신다.

2) <u>신약 시대의 성도들도 금식은 필요하다</u>.

➠ 마태복음 9:15에서 예수님께서는 신랑을 빼앗길 날이 오면 금식할 것이라고 예언하셨으며, 사도행전의 지역 교회에서도 금식을 한 후 바울과 바나바를 따로 세우기도 했다(행 13:2,3). 사도 바울의 전 생애를 통해 보더라도 신약 교회에서의 금식은 필요하다(고후 6:5; 11:27). 금식은 진실한 것이어야 하며 보이기 위한 목적이 되어서는 안 된다(슥 7:4-7). 또한 반드시 올바른 삶이 동반되어야 한다(사 58:3-7).

물질 vs. 하나님의 의(19-34절)

마태복음 6:19-34은 다소 긴 내용이지만 한 가지 논지를 담고 있다. 즉 하루하루를 물질에 얽매여 물질을 섬기면서 살지 말고 하나님을 섬김으로써 모든 필요를 충족받으라는 것이다. 그 내용을 19절부터 연결해서 설명하면 다음과 같다.

1. 좀과 녹이 해치고 도둑들이 뚫고 들어와 도둑질해 가는 땅에 보물을 쌓지 말고 너희 자신을 위하여 그럴 염려가 전혀 없는 하늘에 보물을 쌓아 두라(19,20절). 그렇게 함으로써 너희 마음을 땅이 아닌 하늘에 두라(21절).

➡ 이 점에 관해서는 사도 바울도 우리 그리스도인들에게 동일하게 명령했다. 『**위에 있는 것들에 너희 마음을 두고 땅에 있는 것들에 마음을 두지 말라**』(골 3:2). 『**우리가 바라보는 것은 보이는 것들이 아니요, 보이지 않는 것들이라. 이는 보이는 것들은 잠깐뿐이지만 보이지 않는 것들은 영원하기 때문이라**』(고후 4:18).

2. 이어서 주님께서는 "순전한 눈"과 "악한 눈"을 말씀하셨는데, 이 점은 "<u>하늘의 보물 vs. 땅의 보물</u>"(19,20절)과 "<u>하나님 vs. 재물</u>"(24절)이라는 전후 문맥을 고려할 때, 하나님의 백성이 눈을 땅에 두는가 아니면 하늘에 두는가의 문제와 관련이 있다.

1) 눈을 땅의 보물에 두면 눈이 악하게 되고 온몸이 어두워지지만, 눈을 하늘에 둔 사람은 눈이 순전해지고 온몸도 빛으로 가득 차게 된다(22,23절). 이것은 『**너희 보물이 있는 곳에 너희 마음도 있느니라.**』(21절)라는 바로 앞 절의 말씀에서 보듯 "마음"의 문제이며, 그 마음이 눈에 영향을 주고, 눈이 온몸에 영향을 준다는 점을 계시한다.

2) <u>결국 24절까지의 내용은 지상에 살면서 하나님과 재물을 동시에 섬길 수 없다는 점을 다루게 된다</u>. 마음과 눈을 하늘을 향해 두고 하늘에 보물을

쌓는 삶을 살든지, 그 둘을 땅에 두고서 땅에다 보물을 쌓는 삶을 살든지 둘 중 한 가지밖에 할 수 없다는 얘기다. 우리는 죄인들이 마음과 눈을 땅에만 두고 재물을 섬김으로써 그 눈이 악해지고 온몸이 어두움에 휩싸여 있는 모습을 실생활에서 자주 보게 된다.

3. 주님께서는 이어서 『그러므로』라고 말씀하심으로써 19절부터의 내용이 결국 한 가지 이야기임을 확증해 주고 계신다.

『그러므로 내가 너희에게 말하노니, 너희 목숨을 위하여 무엇을 먹을까, 무엇을 마실까, 또 몸을 위하여 무엇을 입을까 염려하지 말라. 목숨이 음식보다 중요하지 아니하며 몸이 의복보다 중요하지 아니하냐?』(25절)

1) 결국 사람이 마음과 눈을 땅에 두고 땅에 보물을 쌓는 일에 몰두하며 재물을 주인으로 섬기는 것은 자신의 목숨과 몸에 대한 염려 때문이라는 것이다. 주님께서는 왕국 백성인 유대인들에게 아버지께서 친히 먹이시는 공중의 새들과(26절) 아무리 염려해도 한 큐빗도 키울 수 없는 키와(27절) 수고와 길쌈을 하지 않아도 솔로몬보다 화려하게 옷을 입는 들의 백합화를(28,29절) 예로 드시면서 믿음이 적은 왕국 백성들을 책망하셨다(30절). 하나님의 자녀인 그들에게 먹고 마시고 입는 문제에 대해 아무런 염려도 하지 말라고 명령하신 것이다(31절).

2) 이와 관련하여 주님께서는 『모든 이방인들』을 예로 드셨는데, 의식주 문제로 염려하는 것은 이교도들이나 하는 것이지, 하늘에 계신 아버지께서 돌

보시는 왕국 백성에게는 전혀 어울리지 않는 일이라는 것이다. 『하늘에 계신 너희 아버지께서는 너희에게 이런 모든 것이 필요한 줄 아시느니라』(32절). 이 구절에서 예수님께서는 『**너희**』, 곧 "유대인"을 『**모든 이방인들**』과 완전히 구별시키심으로써 "유대인들의 차원이 다른 삶"을 강조하셨다.

4. 주님께서는 육신을 입고 있기에 목숨과 몸을 위해 염려할 수밖에 없는 왕국 백성에게 그들의 필요가 날마다 충족될 수 있는 길을 결론적으로 계시하셨다.

『오히려 너희는 먼저 하나님의 나라와 그분의 의를 구하라. 그리하면 이 모든 것을 너희에게 더해 주시리라. 그러므로 내일을 위하여 염려하지 말라. 내일 일은 내일 염려할 것이요, 그 날의 재앙은 그 날로 충분하니라』(33,34절).

1) 예수 그리스도께서는 **32절에서** 모든 이방인들과 유대인들을 분리시키신 후, 유대인들에게 "하나님의 나라"(the kingdom of God)를 구하라고 말씀하셨다. **"하나님의 나라"가 신약 성경에서 처음으로 등장하는 곳이 바로 마태복음 6:33이다**. 주님께서 "물리적인 천국"을 가져오시려는 상황에서 "영적인 하나님의 나라"를 언급하시는 것은 왕국 백성인 유대인들의 영적 상태의 중요성을 강조하시기 위함이다.

2) 말하자면 예수님께서는 왕국 백성인 유대인들에게 천국이 임하기 이전에 하나님의 나라를 구하라고 말씀하신 것이다. **도덕적으로, 영적으로 완벽한 상태를 추구하라는 말씀인데, 즉 이러한 영적인 온전함이 왕국에 들어**

가기 위한 전제 조건이 되는 것이다. 왕국 헌법으로서 주어진 산상설교는 유대인들에게 이처럼 엄격한 의를 요구했지만, 그들은 이 설교의 내용을 지키지 못했고, 결국 그들의 왕을 십자가에 못 박고 말았다.

3) **따라서 초림 당시의 유대인들이 지키는 데 실패한 이 말씀은 미래의 대환란 기간의 유대인들에게 다시 한번 적용되는데, 그 기간의 유대인들이 목숨을 위하여 염려하지 않고 영적인 상태를 온전히 유지하면, 하나님께서 그들의 모든 필요를 채워 주실 것이다**. 유대인들이 대환란 때 드릴 마태복음 6:11의 기도(『**오늘 우리에게 일용할 양식을 주시옵고**』)를 실제로 응답받기 위해서는 무엇보다도 먼저 하나님의 나라와 그분의 의를 구하는 영적인 삶을 살아야 하는 것이다.

■ 새롭게 깨달았거나 적용할 내용이 있다면 적어 보세요. ■

제5과
복습문제

1. 산상설교에서는 "너희"가 "이교도"와 대조되는 개념으로 쓰이기 때문에, "너희"는 이방인들과 구별되는 (   )을 가리키는 표현이다.

2. 예수 그리스도께서는 "이교도들처럼 헛된 (   )으로 하는 기도"에 대해 경고하셨다.

3. 마태복음 6:9-13의 소위 "주기도문"은 교회를 위한 기도이다. (O , X)

4. 『오늘 우리에게 일용할 양식을 주시옵고』(11절)라는 기도는, 매일의 양식을 하늘의 하나님으로부터 받아먹어야 할 유대인 (   ) 성도들을 위한 기도이다.

5. 대환란 기간은 다른 사람을 용서하지 않으면 자신도 용서받지 못하게 되어 (   )을 잃어버리는 시대이다.

6. 『오히려 너희는 먼저 (   )와 그분의 의를 구하라. 그리하면 이 모든 것을 너희에게 더해 주시리라』(마 6:33).

■ 복습 문제의 정답은 홈페이지(www.solomonbtc.org)에서 확인할 수 있습니다.

NOTES

제6과
열매로 거짓 선지자들을 분별하라(7장)

『너희는 그들의 열매로 그들을 알게 되리니, 사람이 가시나무에서 포도를, 또 엉겅퀴에서 무화과를 거둘 수 있겠느냐?』(마 7:16)

마태복음 7장은 왕국 헌법인 산상설교의 마지막 부분이며, 이 역시 예수 그리스도께서 십자가 이전에 왕국을 기다리던 유대인 청중에게 행하신 설교이다. 주님께서는 5장에서 왕국의 규례들을 말씀하셨고, 6장에서 왕국으로 들어갈 때까지 유대인들이 겪어야 할 일들과 행해야 할 일들을 말씀하셨으며, 7장에 와서는 왕국 헌법의 다양한 규정들을 선포하셨다.

판단하지 말라(1-5절)

『판단하지 말라. 그리하면 너희도 판단받지 않을 것이라. 너희가 판단하는 그 판단으로 너희도 판단받을 것이며, 너희가 재는 그 자로 너희도 다시 측정을 받으리라. 어찌하여 네 형제의 눈 속에 있는 티는 보면서 네 자신의 눈 속에 있는 들보는 생각지 못하느냐? 또, 보라, 네 눈 속에 들보가 있는데도 어떻게 '네 눈에서 티를 빼내 주마.'라고 네 형제에게 말할 수 있느냐? 너 위선자여, 먼저 네 자신의 눈에서 들보를 뽑아 내라. 그러면 네가 밝히 보고 네 형제의 눈에서 티를 빼내리라』(1-5절).

1. 본문은 어느 시대의 누구에게나 미덕으로 사용될 수 있는 구절이지

만, 이것을 지나치게 적용하여 진리를 가지고 오류를 판단하는 것조차 "비판"이라고 여기는 것은 비성경적이다.

1) 『**영적인 사람은 모든 것들을 판단하나 자신은 아무에게도 판단을 받지 아니하느니라.**』(고전 2:15)라는 말씀대로 영적인 사람은 모든 것을 판단할 수 있다. 영적인 사람은 성령님께서 가르치시는 말씀을 영적으로 비교하여 말하는 사람을 뜻한다(고전 2:13). 이 영적인 사람의 모든 판단은 "성경"에 근거하기 때문에 그 자신은 아무에게도 판단 받지 않을 수 있다(고전 2:15). 왜냐하면 성경을 근거로 하여 판단하는 영적인 사람을 역으로 판단한다면, 그 사람은 영적인 사람이 근거로 삼은 성경을 판단하는 것이 되어 버리기 때문이다. 따라서 『주』를 가르칠 수 있는 사람이 없듯이, 『그리스도의 생각』을 가진 영적인 사람을 가르칠 사람도 없는 것이다(고전 2:16). 이처럼 영적인 사람은 어떤 일이나 사람을 판단할 수 있지만, 그 자신은 아무에게도 판단받지 않는다.

2) 마태복음 7:1의 말씀과 고린도전서 2:15의 말씀이 서로 상충되는 것처럼 보이는 이유는, 이 두 말씀이 서로 다른 경륜(또는 세대)에서 적용되기 때문이다. 즉 마태복음 7:1은 왕국 시대의 백성들과 관련된 말씀이고, 고린도전서 2:15의 말씀은 교회 시대의 성도와 관련된 말씀인 것이다.

2. 5절에서 자기 눈의 들보를 뽑아내야 할 "위선자"는 산상설교와 복음서 전체에서 특별한 대상을 지칭한다.

➡ 마태복음 7장의 첫머리에 언급된 "판단"의 문제는 거짓 선지자들과 밀

접한 관계가 있다. "위선자"는 예수님께서 유대인 지도자들을 책망하실 때 자주 사용하시던 표현이다(6:2,5; 23:13,14,15,23,25,27,29). 주님께서는 특히 바리새인과 사두개인과 서기관들 같은 지도자들이 백성들을 판단하고 재판하는 것을 자기들의 눈에 있는 들보는 보지 못하고 백성들의 눈에 있는 티를 빼내려는 행위로 보셨다. "판단"과 관련된 산상설교는 모든 유대인들에게 적용되지만, 그 가운데서도 특히 위선적인 종교 지도자들에게 찔림을 주었을 것이다.

3. 판단의 문제는 왕국뿐만 아니라 그 왕국으로 들어가기 위해 거쳐야 할 대환란 때의 구원과도 밀접한 관련이 있다. 믿고 끝까지 인내해야 할 대환란 기간에 다른 유대인 형제들을 판단하고 그들을 원망하는 유대인은 왕국에 들어가지 못하고 구원을 상실하게 된다(약 5:7-11).

거룩한 것들을 개들과 돼지들에게 주지 말라(6절)

『거룩한 것을 개들에게 주지 말고, 너희의 진주를 돼지들 앞에 던지지 말라. 그들이 그것들을 발로 밟고, 다시 돌아서서 너희를 찢을까 함이라』(6절).

1. 예수 그리스도께서는 5절의 "위선자들"에 좀 더 초점을 맞추고 계신다.

1) "개들"과 "돼지들"은 베드로후서 2장에서 거짓 선지자들과 거짓 교사들을 가리킨다. 『그러나 백성 가운데도 ① 거짓 선지자들이 있었던 것처럼 너희 가운데도 ② 거짓 교사들이 있으리라. 그들은 저주받을 이단들을 비밀리에 불러들여서 자기들을 사신 주를 부인하기까지 하며, 급격한 파멸을 스스로 불러들이느니라... 그러나 참된 잠언대로 그들에게 이루어진 것이니 "① 개는 그 자신이 토해 낸 것으로 다시 돌아가고 또 ② 돼지는 씻고 나서 그녀의 진창 속에서 뒹군다." 하였도다』(벧후 2:1,22).

2) 주님께서는 7:6에서 "개들"과 "돼지들"을 언급하신 뒤 "15-21절"에서 "거짓 선지자들"을 다루심으로써 그분의 설교가 이스라엘 내의 위선적인 종교지도자들에게 특별히 맞춰져 있음을 계시하신다. 거짓 선지자들의 문제는 재림 때도 마찬가지이다(15-21절). 거짓 선지자들을 가리키는 "약탈하는 이리들"(15절)은 "갯과"의 짐승이다. 이는 베드로후서 2장에서 거짓 선지자가 개에 비유되는 것과 정확히 일치한다. 돼지는 거짓 교사를 가리킨다.

하늘에 계신 아버지께 구하고, 찾고, 두드리라(7-11절)

『구하라 그러면 너희에게 주실 것이요, 찾으라 그러면 너희가 찾을 것이요, 두드리라, 그러면 너희에게 열릴 것이라. 이는 구하는 자마다 받을 것이요, 찾는 자는 찾을 것이요, 또 두드리는 자에게는 열릴 것이기 때문이라. 너희 가운데 누가 아들이 빵을 달라는데 돌을 주

며 생선을 달라는데 뱀을 주겠느냐? 너희가 악하다 할지라도 너희 자녀에게 좋은 선물을 줄 줄 알거든 하물며 하늘에 계신 너희 아버지께서 구하는 자들에게 좋은 것들을 주시지 않겠느냐?』(7-11절)

1. 이 기도는 그리스도인들에게 "적극적인 기도"의 모범으로 가르쳐지고 있지만, 본질상 구약적인 기도이다. 이 기도에는 "예수님의 이름"이 빠져 있기 때문이다(요 16:23,24).

1) 이 기도는 산상설교에 포함된 소위 "주기도문"과 동일한 관점에서 해석되어야 한다. 이 구절에서도 "너희"라는 말이 강조되고 있고, 하나님께 기도할 때 "너희 아버지," 곧 이스라엘 민족의 아버지께 기도하기 때문이다.

2) 물론 영적으로는 이 구절을 교회 시대의 성도들에게 적용할 수 있다. 하나님의 뜻에 맞게 올바로 기도한다면, 이 기도의 모형은 신실하신 주님께 드리는 기도의 아주 좋은 모델이 될 수 있다. 아무것도 염려하지 말고 구하며(빌 4:6) 응답받을 때까지 기도하면서(살전 5:17) 적극적으로 찾고 문을 두드린다면 결국 찾게 되고 응답의 문이 열릴 것이기 때문이다.

3) 하나님께서 성도들의 기도에 응답하신다는 점은 구약이나 신약이나 다르지 않다. 그분께 구하고 찾고 두드려야 한다는 것 역시 기도의 동일한 원칙이다. 다만 신약의 그리스도인들은 그러한 기도를 예수님의 이름으로 해야 하며 그러할 때 응답받는다는 데에 그 차이점이 있다. **『또 말에 있어서나 행실에 있어서나 무엇을 하든지 모든 것을 주 예수의 이름으로 하고 그를 통하여 하나님, 곧 아버지께 감사를 드리라』**(골 3:17).

구원의 철칙, 황금률(12절)

『그러므로 사람들이 너희에게 해주기를 바라는 것은 무엇이든지 모두 너희도 그들에게 그렇게 해주라. 이것이 율법이요, 선지서들이니라』(12절).

1. 이 황금률이 "율법이요, 선지서들"이라면, 이러한 원칙이 율법의 효력이 다시 발휘되는 대환란 때에는 구원을 받기 위한 조건이 된다는 것을 알 수 있다.

1) 이 말씀은 왕국 헌법에 속하기 때문에 대환란 기간에 왕국에 들어가기 위한 구원의 조건이 됨과 동시에 **왕국에서 구원받을 수 있는 조건도 된다**. 다시 말하면 이것은 **율법과 선지서들로 뒷받침되는 "왕국 시대의 황금률"인 것이다**.

2) **율법과 선지서들은 구약이다**. 주님께서는 누가복음 16:16에서 "율법과 선지서들"이 침례인 요한까지라고 말씀하셨다. **12절은 율법과 선지서들을 믿는 사람에게 실제로 영향을 끼치는 "구약적인 의"에 대한 진술이므로, 신약 시대의 황금률이 아니라 구약의 연속선상에 있는 "왕국 시대의 황금률"이라고 해야 옳다**.

3) **신약의 그리스도인들은 남이 나에게 해 주기를 바라는 대로만 남에게 베풀어서는 안 된다**. 남이 나에게 해주지 않더라도 "내가 먼저" 그리스도의 사

랑으로 다가서는 것이 신약적인 황금률이다(롬 12:10, cf. 요일 4:19). 그리스도의 사랑과 관련된 신약적인 황금률에는 ① **하나님께서 예수 그리스도를 통하여 죄인들에게 먼저 손을 내미시어 무조건적으로 사랑해 주신 십자가의 정신과(요일 4:10,19)** ② **예수 그리스도께서 우리 그리스도인들에게 주신 새 계명(요 13:34, 요일 3:16,23), 곧 "남을 위해서 죽어 줄 만큼 사랑해야 한다"는 계명이 반영되어 있다**.

좁은 문으로 들어가라(13,14절)

『너희는 좁은 문으로 들어가라. 이는 멸망으로 인도하는 문은 넓고 그 길이 광대하여 그리로 들어가는 사람이 많으나 생명으로 인도하는 문은 좁고 그 길이 협소하여 그것을 찾는 자가 적음이니라』(13,14절).

1. 진리의 문제에 있어서 항상 다수가 옳은 것이 아니다. 진리를 실행하는 것은 늘 소수였다.

1) **진리를 소수가 실행한다는 것은 성경이 증명하고(행 7,17,19,22장), 또 교회사가 증명하는 바이다**. 인류의 역사에서 다수가 진리를 향해 나아간 시기는 오직 "필라델피아 교회 시대"(A.D. 1500-1900년)뿐이었다.

2) 교회사 초기에는 로마제국이 소수의 그리스도인들을 박해했고, 중세 암흑

시대에는 다수인 로마카톨릭이 성경대로 믿었던 소수인 왈덴시안, 보고마일, 폴리시안, 불가리안, 카타리 등을 박해했다. 종교개혁 이후에는 제도화된 교회들이 "재침례교도들"을 박해했다. 20,21세기에 들어와서는 배교한 교회들이 성경대로 믿는 소수의 그리스도인들을 "이단"이라고 부르고 있다. 그들은 겉보기에는 성장한 것 같지만, 주님께 『**너는 비참하고, 가련하며, 가난하고, 눈멀고, 헐벗은 것을 알지 못하는도다.**』(계 3:17)라는 책망을 듣는 교회이다. 오늘날에도 진리는 늘 소수와 함께 있는 것이다.

2. 진리를 실행하는 것은 소수이고 그 길이 좁고 협소한 건 사실이지만 진리 그 자체를 찾기가 어려운 것은 아니다. 성경은 늘 활짝 열려 있지만, 대부분의 사람들이 마음을 닫아 버려서 그것을 찾는 자가 적을 뿐이다.

1) 예수 그리스도께로 나아가는 길은 찾기가 쉽다. 주님을 올바로 찾는 자가 적은 것이지, 주님께 나아가는 길 자체는 전혀 어렵지 않다. 『**수고하고 무거운 짐진 자들아, 다 내게로 오라. 그러면 내가 너희에게 쉼을 주리라**』(마 11:28). 『**또 내게 말씀하시기를 "다 이루었노라. 나는 알파와 오메가요 시작과 끝이라. 내가 목마른 자에게 생명수의 샘을 값없이 주리라**』(계 21:6).

2) <u>원하는 자는 누구든지 값없이 마실 수 있는(계 22:17) 생명수의 샘을 왜 찾기 어렵게 하시겠는가?</u> 이러한 초청은 구약에서도 마찬가지였으며, 그때 역시 찾는 자가 적었을 뿐이다(사 55:1-3). <u>예수 그리스도의 생명수의 샘은 온 인류에게 개방되어 있는 것이다!</u>

거짓 선지자들을 그 열매로 알라(15-23절)

『거짓 선지자들을 조심하라. 그들은 양의 옷을 입고 너희에게 나아오나 속은 약탈하는 이리들이라. 너희는 그들의 열매로 그들을 알게 되리니, 사람이 가시나무에서 포도를, 또 엉겅퀴에서 무화과를 거둘 수 있겠느냐? 이와 같이 좋은 나무마다 좋은 열매를 맺고, 나쁜 나무는 나쁜 열매를 맺느니라. 좋은 나무가 나쁜 열매를 맺을 수 없으며, 나쁜 나무가 좋은 열매를 맺을 수 없느니라. 좋은 열매를 맺지 못하는 나무마다 찍혀 불 속에 던져지리라. 그러므로 너희는 그들의 열매로 그들을 알게 되리라. 나에게 '주여, 주여.' 하고 부르는 자마다 다 천국에 들어가는 것이 아니요, 하늘에 계신 나의 아버지의 뜻을 행하는 자라야 되느니라. 그 날에 많은 사람들이 나에게 '주여, 주여, 우리가 주의 이름으로 예언하지 아니하였으며, 주의 이름으로 마귀들을 쫓아내지 아니하였으며, 주의 이름으로 많은 경이로운 일들을 행하지 아니하였나이까?'라고 말하리니, 그때 내가 그들에게 분명히 말하되 '나는 너희를 전혀 알지 못하니, 너희 불법을 행하는 자들아, 내게서 떠나가라.'고 하리라』(15-23절).

1. 왕국의 백성들이 하나님을 의지하고 그분께 필요한 것을 얻는 동안 거짓 선지자들은 그들을 미혹한다.

1) 믿음과 행위로 구원받아야 하는 대환란 기간에 미혹을 당하여 잘못된 길로 들어서면 다시 회개하여 돌이킬 기회가 없으므로 미혹하는 거짓 선지

자들을 항상 조심해야 한다.

『한 번 깨우침을 받고 하늘의 선물을 맛보며, 성령의 동참자가 되고 하나님의 선한 말씀과 오는 세상의 능력을 맛본 자들이 만약 떨어져 나간다면 다시 새롭게 하여 회개시킬 수 없나니, 이는 그들이 스스로 하나님의 아들을 다시 십자가에 못박아 공개적으로 조롱함이라』(히 6:4-6). 『그들에게 자유를 약속하나 자기들 자신은 타락의 종들이니, 누구든지 정복을 당하면 그는 정복한 자의 종이 되는 것이라』(벧후 2:19).

2) 7:15의 "거짓 선지자들"은 표적을 구하는 민족인(고전 1:22) 유대인들을 거짓 표적과 이적들로 미혹할 것인데, 이에 안 넘어갈 유대인이 거의 없을 것이기 때문에, 주님께서는 마태복음 7장과 24장에서 그들을 분별할 수 있는 기준을 제시하심으로써 미리 경고해 주셨다.

『그때에 만일 누가 너희에게 말하기를 '보라, 그리스도가 여기 있다. 혹은 저기 있다.' 하여도 믿지 말라. 거짓 그리스도들과 거짓 선지자들이 일어나서 큰 표적들과 이적들을 보여 주어, 할 수만 있다면 그 택함받은 자들[유대인들]도 미혹하리라. 보라, 내가 미리 너희에게 말하였노라. 그러므로 그들이 너희에게 말하기를 '보라, 그가 광야에 있다.' 하여도 나가지 말고, '보라, 골방에 있다.' 하여도 믿지 말라. 마치 번개가 동편에서 치면 서편에까지 비치는 것같이, 인자의 오는 것도 그러하리라』(마 24:23-27).

3) 거짓 선지자들은 "양의 옷"을 입고 나아오지만(cf. 슥 13:4, "속이기 위한 털옷") 속은 약탈하는 이리들이다(15절). 이 종교적 위선자들이 자신을 위장하기 위해 행하는 것은 항상 "순수함"으로 가장하는 것이다. 항상 인자하게 웃고, 비진리에 대해 분노하지 않으며, 언제나 "세계 평화"를 말하고, 세계인들의 "하나 됨"을 이야기한다. 또한 그들은 하나님께 **『주여, 주여』** 하고 부르짖기도 하고(21절) 주의 이름으로 예언하기도 하며(22절) 주의 이름으로 마귀들을 쫓아내기도 한다(22절). 그뿐만 아니라 거짓 선지자들은 주의 이름으로 많은 경이로운 일들을 행하는 자들로서(22절) 대환란 때 다시 등장하는 율법을 거슬러서 "불법을 행하는 자들"이다(23절).

4) **특히 마태복음 24장에서는 거짓 선지자들이 『그리스도』가 있는 곳을 알려 줄 것이라면서(마 24:23) 그들의 특별한 메시지에 주목하라고 경고하셨다**. "그리스도가 광야에 있다, 골방에 있다."라고 하면서 "**특정 장소**"를 언급하면 그 사람이 바로 거짓 선지자라는 것이다. 왜냐하면 주님께서는 세상의 모든 사람이 눈에 볼 수 있도록, 마치 번갯불이 하늘 전체에 퍼지는 것처럼 오실 것이기 때문이다. **『마치 번개가 동편에서 치면 서편에까지 비치는 것같이, 인자의 오는 것도 그러하리라』**(24:27).

반석 위에 집을 지으라(24-29절)

『그러므로 누구든지 나의 이 말들을 듣고 행하는 사람은 자기 집을 반석 위에 지은 현명한 사람과 같다 하리니 비가 내리고

> 홍수가 나며 바람이 불어 그 집에 들이쳐도 무너지지 아니하는 것은 그 집이 반석 위에 세워졌음이요, 나의 이 말들을 듣고 행하지 않는 자는 누구나 자기 집을 모래 위에 지은 어리석은 사람과 같으리니 비가 내리고 홍수가 나며 바람이 불어 그 집에 들이치면 무너지되 그 무너짐이 극심하리라." 하시더라. 예수께서 이 말씀들을 마치시니 그의 교리에 백성들이 놀라더라. 이는 주께서 가르치시는 것이 권위 있는 분 같고 서기관들과 같지 아니하였기 때문이라』(24-29절).

1. 예수 그리스도께서 이 말씀에서 강조하시는 것은 "행위"이다. 『듣고 행하는』(24절)이나 『듣고 행하지 않는』(26절)과 같은 말씀에서 알 수 있듯이 여기에서 제시되는 사람들은 "행위"로 구원받는 사람들이며 이 시대의 그리스도인들이 아니다.

   1) 듣고 행하는 "현명한 사람"은 마태복음 25:2에 나오는 "현명한 다섯 처녀"(유대인의 남은 자들)와 관련이 있다. 반석 위에 집을 지은 자와 신랑을 맞는 현명한 다섯 처녀는 같은 부류의 사람들이다.

   2) 각 절에서 나타나는 "집"은 "이스라엘 집"을 말한다(마 12:43-45; 23:38). 집을 짓는 두 부류의 사람들은 이스라엘 집의 두 부류의 사람들을 말하는 것인즉, ① 말씀을 듣고 행하는 유대인은 구원을 받고(남은 자들, 사 10:20-22; 11:11,16, 렘 23:3), ② 듣고 행하지 않는 유대인은 구원받지 못하는 것을 보여 주고 있다.

   3) 이 말씀에서 심판은 "불"이 아니라 "물"로 이루어진다. 이것은 이스라엘의 남은 자들과 관련해서 대환란 때의 홍수를 간접적으로 연상케 한다(계

12:14-17, 단 9:26). 그러므로 본문에서 주님의 말씀을 듣고 행하는 사람, 곧 집을 반석 위에 지은 사람은 이스라엘의 "남은 자들"(remnants)로서, 요한계시록 12:17에서 "하나님의 계명을 지키며 예수 그리스도의 증거를 가진 자들"에 해당한다. 반면에 주님의 말씀을 들으나 행하지 않는 사람, 곧 모래 위에 집을 지은 사람은 대환란 때 끝까지 견디지 못하고 떨어져 나가는 유대인들을 가리킨다. <u>말씀을 듣고 행하여 구원받은 "남은 자들"은 출애굽 때처럼 광야에서 특별하게 부양받아 매일의 양식을 먹을 것이고(마 6:11, 미 7:14,15), 재림 때 천년왕국을 상속받게 될 것이다</u>.

2. 예수님께서 말씀들을 마치시자 그분의 교리에 백성들이 놀랐는데, 이는 주께서 가르치시는 것이 권위 있는 분 같고 서기관들과 같지 아니하였기 때문이다(28,29절).

1) <u>예수님을 "권위 있는 분 같다"고 표현한 것은 예수님이 곧 "왕"이심을 암시해 준다</u>. 『**왕의 말이 있는 곳에는 권위가 있나니**』(전 8:4).

2) <u>"서기관들"이 특별히 언급되는 것은 그들이 대환란 때 적그리스도의 치하에서 백성들을 미혹할 "거짓 선지자들"(15절)의 모형이기 때문이다</u>. 주님께서 말씀하신 것은 "왕국 헌법"이다. 이 왕국 헌법과 관련해서 보면, 왕국으로 들어가기 직전인 "대환란" 기간에는 거짓 선지자들이 아닌 주님의 말씀을 듣고 행하는 것만이 구원받는 유일한 길이 되고, "천년왕국" 기간에도 거짓 선지자들의 예언에 귀를 기울이지 않고(슥 13:2-5, 렘 31:33,34, 고전 13:8) 왕국 헌법을 듣고 행하는 것만이 구원의 길이 될 것이다.

제6과 복습문제

1. 왕국 헌법인 산상설교는 마태복음 5장에서 (　　　)장까지이다.

2. "개들"과 "돼지들"은 베드로후서 2장에서 거짓 (　　　　　　)들과 거짓 (　　　　　　)들을 가리킨다.

3. 산상설교에서 "너희"는 이방인과 대조되는 (　　　　　　)을 가리킨다.

4. 진리를 실행하는 것은 늘 (다수 , 소수)였다.

5. 대환란과 천년왕국 기간에 구원을 받는 데 있어서 특별히 조심해야 할 자들은 (　　　　　　)이다.

6. 예수님께서 "권위 있는 분 같다"고 표현한 것은 예수님이 곧 "왕"이심을 암시해 준다. (O , X)

7. 『너희는 그들의 (　　　　　　)로 그들을 알게 되리니, 사람이 가시나무에서 포도를, 또 엉겅퀴에서 무화과를 거둘 수 있겠느냐?』(마 7:16)

■ 복습 문제의 정답은 홈페이지(www.solomonbtc.org)에서 확인할 수 있습니다.

NOTES

NOTES

< 추 천 도 서 >

마태복음

피터 S. 럭크만 지음 / 748쪽

35,000원(eBook 11,900원)

마태복음은 교회와 교회 시대를 대상으로 기록된 책이 아니라, 유대인과 왕국을 겨냥하여 기록된 책이다.

하나님의 나라와 천국

피터 S. 럭크만 지음 / 280쪽

12,000원(eBook 4,900원)

본서는 천국(Kingdom of Heaven)과 하나님의 나라(Kingdom of God)를 구분하여 정확하게 알려 준다.

열린 성경 닫힌 마음

이송오 목사 지음 / 216쪽

7,000원(eBook 4,900원)

이 책은 성경에 대해 닫혀 있는 눈과 마음을 뜨게 해 주어, 성경을 왜 나누어서 공부해야 하고 어떻게 나누어 볼 수 있는지 알게 해 준다.

완벽한 교회는 없는가?

이송오 목사 지음 / 296쪽

12,000원(eBook 5,900원)

참 교회의 모습을 찾으려고 하는 성도들, 특히 올바른 목회를 하려고 준비하는 신학생들과 목회자에게 좋은 교과서로 제시된다.

솔로몬 성경공부 시리즈

마 태 복 음

제1권 왕이신 예수 그리스도 (1-7장)

초판1쇄 2021년 1월 8일
초판3쇄 2022년 5월 27일
지 은 이 / 편 집 부
발 행 인 / 이 송 오
발 행 처 / 말씀보존학회
출판등록 / 1988. 12. 12. 제16-223호
주 소 / 서울 강서우체국 사서함 제90호
전 화 / (02) 2665 - 3743
팩 스 / (02) 2665 - 3302
인 터 넷 / www.biblemaster.co.kr

값 10,000 원